# 무경계 기획자

한희

https://brunch.co.kr/@haniroad

책을 읽고 글을 쓰는 기획자입니다.
박물관, 과학관, 엑스포 등의 복합 문화예술 공간 전시기획을 주 업무로 해 왔습니다.

발 행 | 2024-01-04
저 자 | 한희
펴낸이 | 한건희
펴낸곳 | 주식회사 부크크
출판사등록 | 2014.07.15(제 2014-16 호)
주 소 | 서울 금천구 가산디지털 1 로 119, A 동 305 호
전 화 | 1670 - 8316
이메일 | info@bookk.co.kr

ISBN | 979-11-410-6422-8
본 책은 브런치 POD 출판물입니다.
https://brunch.co.kr

www.bookk.co.kr

# 무경계 기획자

한희 지음

# CONTENT

**들어가며** 01 기획인생 돌아보기

**기획자의 아침**

02 어제를 세수합니다
03 떠드는 것도 연습합니다
04 지금 생각을 버리고 싶습니다
05 오전의 에너지
06 기획자의 메모리 노트 1

**기획자의 점심**

07 밥 잘사는 기획자
08 서점에서 고민하기
09 한 시에 회의
10 고독한 게 우아한 건가요?
11 기획자의 메모리 노트 2

**기획자의 오후**

12 입을 막는 기획자
13 첫번째 날이 운명을 결정지어요
14 리더의 외출
15 현장의 추억
16 기획자의 메모리 노트 3

**기획자의 저녁**

17 이제 그만 용서합시다
18 처음 고백
19 머리 쓰는데 왜 몸이 아파요?
20 달력에 제일 먼저 표시할 것
21 기획자의 메모리 노트 4

기획자의 나머지 시간
22 새벽이 오는 소리
23 벤치마킹
24 경조사의 의미
25 꿈꾸는 시간
26 기획자의 메모리 노트 5

기획자의 실무_ 자주 써먹는 기획
27 종이와 연필만으로 아이디어 완성하기
28 텍스트는 항상 이미지와 같이 표현한다
29 관련 영화나 드라마 콘텐츠를 본다
30 더 할 수 없는 경우의 수를 펼쳐본다
31 단어를 영어, 한자 등 3 개 이상의 의미로 만들어본다
32 해당 학문을 전공한 대가를 찾아가 물어본다
33 어디서 본 것 같은데 그것보다는 새로워야 한다
34 세상에 없는 말을 지어서 원래 있던 말처럼 떠든다
35 현재의 1 등을 찾고 꼭 이긴다
36 아니라 생각하면 과감히 접는다

기획자의 실력 _가끔 써먹는 기획
37 알려진 이론을 전략에 이용한다
38 추상적인 개념을 3 차원 공간에 가져온다

혹시,
기획을 하신다면 오늘도
숨가쁜 일정을 보내셨나요?
늘 경계가 불분명한 기획 업무에 지치셨나요?
기획자로 살아가는 것이 맞는 것인지 고민이 되나요?

그렇다면,
마음이 무거운 채로 일어난 어느 아침에,
밥 먹으러 나가기 귀찮아 죽겠는 점심시간에
퇴근하려면 아직 한참인 오후 세시 무렵에,
집에 들어가도 해결은 되지 않을 것 같은 이른 저녁에,
이런저런 생각으로 잠에서 깨어버린 새벽에,

들쳐보세요.

오늘 하루 더는 흐트러지기 싫은데
이 조그만 도움으로 다시,
당신의 기획이 차질 없이 운행되길 바랍니다.

01

# 기획인생 돌아보기

< 들어가며 >

십 년 전에 소설공부를 시작할 때였다. 처음엔 어디서 어떻게 해야 할지를 몰라 동네 문화센터에 등록하고 작가들은 무슨 이야기를 하나 찾아다녔다. 어떤 소설가는 이 가슴에 한이 쌓이고 쌓이면 그땐 포클레인으로 퍼내듯이 글을 쓸 수밖에 없다고 했다. 어떤 분은 인간이 행복하다고 느낄 땐 글을 쓸 이유가 없다고 했다. 같이 공부하던 문하생 중에는 사람들이 흔히들 자기 인생을 소설로 쓰면 백 권이 넘을 것이라고 하여 자신도 당연히 그럴 줄 알았는데, 막상 단편 두어 편을 쓰고 났더니 더 쓸 것도 없다고 했다. 이 번 글을 마무리하고 났더니 그때 생각이 주마등처럼 지나갔다. 소설은 아니지만 결국 내 이야기를 정리하였으니 그 시절의 공부가 헛된 것은 아니었나 보다.

레이먼드 카버의 <대성당>이라는 소설집이 있다. 여러 단편들 중에는 <별 것 아닌 것 같지만, 도움이 되는>이라는 작품이 있다. 교통사고로 아들을 잃은 여자가 빵집 주인의 권유로 하찮아 보이는 빵조각을 먹는다는 단순한 이야기다. 사고를 알지 못했던 빵집 주인은 아들의 생일 케이크를 찾아가라 자꾸 전화를 하였고 여자 역시 기억이 나지 않아 욕을 퍼부었다. 그러나 케이크를 예약한 사실을 기억해 내곤 빵집을 방문하였고 퉁명스러운 주인에게 아들이 차에 치여 죽었다고 소리친다. 주인은 여자를 진정시키고 이럴 때 먹는 일은 '별것 아닌 것 같지만, 도움이 되는' 일이라며 갓 구운 따뜻한 빵을 권한다. 주인은 밤새 빵을 굽는 사람이었다. 여자는 밤새도록 주인과 이야기하며 그 자리에 머문다. 아들을 잃은 큰 슬픔이야 어찌할 수 없겠지만 잠깐의 허기는 채워졌을 것이다. 이 글도 기획자들의 근본적인 목마름을 해결해 줄 수는 없겠지만 잠깐의 휴식 속에서 기획 일상에 조금이나마 도움이 되길 바라는 마음이다.

**실제로 유난히도 머리가 무거운 어느 찌뿌둥한 아침에,**
**밥을 먹으러 나가기는 싫은데 그렇다고 몸은 더 움직이기 싫은 점심시간에,**
**하루가 지나려면 아직도 한참이나 시간이 남은 텅 빈 오후에,**
**집에 들어가 봐도 딱히 해결은 나지 않을 것 같은 대책 없는 저녁에,**
**혹은 이런저런 생각으로 그만 잠에서 깨어버린 어느 새벽에,**

가볍게 펼쳐보는 글이었으면 좋겠다. 만약 어떤 이유로 잠시 흐트러진 일상이었다면 이 조그만 도움으로 다시 당신의 기획이 차질 없이 운행되었으면 좋겠다. 조금 살아보니 일상의 힘은 무엇보다도 삶을 지탱해 주는 사실상의 기본 동력이다.

나는 이 글들을 해외에서 끝마쳤다. 낮과 밤이 바뀐 도시에서 타인과의 접촉을 최소화한 채 오로지 나의 기획인생만을 돌아보는 시간을 오롯이 가졌다. 돌아보니 내가 좋아하는 작가들은 같은 이야기를 다들 자기 방식대로 표현하고 설득하고 주장했던 것 같다. 그 근사한 일을 나도 해내었다는 기쁨을 이 책을 쓰게 한 사람과 함께 나누고 싶다. 앞으로 부족한 글을 의미 있게 보아주실 모든 이에게도 먼저 감사의 말을 전한다.

02

# 어제를 세수합니다

< 기획자의 아침_1 >

**기획자의 아침은 차갑고 매끈해야 한다.**

예를 들면 방금 락스에 소독이라도 된 듯 어제까지의 세균이 깔끔하게 박멸된 세면대와도 같아야 한다. 일곱 살 때 우리 집은 뜨거운 물이 나오지 않았다. 내 기억으론 연탄보일러였던 집에 겨울 아침의 세수는 딱 두 번의 세숫대야만큼만 허락되었던 귀중한 의식이었다. 빨간 대야에 고개를 숙이면 희미하게 어른거리던 내 얼굴. 엄마는 대야가 깨끗해야 한다고 매일 수세미로 대야를 닦으셨다. 지금처럼 흐르는 물에 세수를 하지 않던 시절에 세숫대야 가장자리엔 늘 얼굴의 기름때인지 알 수 없는 자국이 묻어 있었다. 엄마는 맑고 깨끗한 물에 세수를 해야 정신도 맑아진다고 하셨는데 나는 이상하게도 일어나기 싫은 아침엔 더욱 그놈의 세숫대야가 생각났다. 빨리 어제의 묵은 때를 씻어내야 하는데 그래야 새로운 아침을 시작하는데. 몇십 년이 지나도 왜 그렇게 빨간 그것이 생각났을까. 어떤 기억은 사소한듯해도 참 질기다. 다른 집에 갔을 때 우리 집만큼 깨끗한 대야를 본 적이 없었기 때문일까.

세수할만한 기분이 들지 않는 대야는 새로운 생각을 담아내기 힘든 뇌와 같다.

아침은 누구에게나 중요한 시간이다. 기획자에겐 하루 24 시간을 어떻게 보낼 것인지가 아침 시간의 활용에 달렸다. 골프에서 백스윙 때 공의 운명이 반 이상 결정되듯이 아침은 그날 일어날 사건의 향방을 결정짓는다.

단순히 아침형 인간이 되어 부지런하게 일을 시작하라는 의미가 아니다. 아침에 깨어난 몸, 더욱 분명 해지는 뇌 활동, 제대로 처리하겠다는 마음가짐, 잡념을 버리고 생각을 하나로 모으는 집중력, 이 모든 것들을 하루의 시작부터 일찌감치 컨트롤해 나가라는 의미다. 나는 이러한 상태를 쫀쫀한 모닝이라고 일컫는다.

어쩌면 이 컨트롤은 아침에 눈뜨기 전 새벽 4 시 정도부터 시작되는지도 모른다. 그때쯤이라면 아마 전날 밤 등장한 꿈속의 잔상을 붙들고 꿈을 더 진행해야 할지 마감해야 할지 결정해야 하는 순간이 아닐까. 그때 나는 못다 핀 꿈을 중단하고 오늘 아침은 무엇을 먹을지, 옷은 어떤 아이템을 입을지, 누구에게 연락을 할지, 어디서 만날지 나름의 하루를 그려본다. 어떤 날은 그 하루를 미리 그려보기가 싫을 때도 있다. 특히 싫은 사람을 만나야 할 때, 그런 사람과 밥을 먹어야 할 때 그런 날은 생각보다 행동을 앞세운다. 그냥 나간다. 머무르고 주춤해 봤자 시작하기는 더 싫어질 뿐이니까. 강연으로 유명한 어떤 인사가 그랬다. 나이 들면 일어나면서 이 생각 저 생각해봤자 몸만 늘어지고 괜히 아픈 것 같아 의지만 약해지므로 일단 무조건 튀어나가라고 하는 걸 본 적 있다.

여기서 우리가 짚고 넘어가야 할 것은 아침이 시작하는 순간인 것 같아도 사실은 무언가를 시작하기 위해 멈추어 있던 모든 것을 중단하는 시간이라는 것이다. 동력전환. 꺼져있던 스위치를 켜고 다시 에너지를 끌어올리기 위해 자신만의 방법이 있어야 한다. 하루키가 그랬다, 면도도 매일 하면 철학이 된다고. 간단히 커피를 마시고 음악을 듣거나 샤워를 하는 것도 방법일 것이다. 나는 우연히 알게 된 아로마 향을 깊게 들이마시며 마음이 편안해지는 순간을 마주하는 것으로 희미한 정신을 깨우곤 한다. 엄지와 검지로 집을 만큼 조그마한 병에 들어있는 용액을 다른 병에 옮겨두고 빈병을 가지고 다니며 답답할 때 병의 입구에 코를 대본다. 그 향이 좋아 여러 개를 구입해 하나는 핸드백에 하나는 거실 테이블에, 또 하나는 책상 위에 놓고 쉼표가 찾아왔을 때 향기를 활용하곤 했다. 꼭 향기가 아니더라도 감각을 일깨우는 자신만의 루틴이 있으면 좋겠다. 사우나에서 냉탕에 들어가는 사람이 성공하는 사람이라는 이야길 들은 적이 있다. 체질이나 기호의 문제가 아니라 냉탕에 들어가면서 매번 자신만의 다짐을 새로이 하기 때문이라고 한다. 기획자는 감각이 깨어있는 사람이다. 아침은 잠들어 있는 감각을 깨우는 시간이 되어야 한다.

또 하나, 나이 들면 더욱 실감하는 것인데 날씨를 인지하는 일도 중요하다. 예민한 기획자에게 날씨는 그날 하루의 커다란 변수이다. 덥지도 춥지도 않고 햇살도 바람도 습기도 적당해 나만 정신 차리고 집중하면 될 것 같은 날들은 그리 많지가 않다. 원치 않는 비는 항상 생각보다 많이 오며, 끈끈한 밤은 웬만해선 물러가지 않는다. 봄은 오지도 않았는데 제 맘대로 가기 일쑤고, 가을은 만나러 가는데 허탈하게 도망가기 십상이다. 문제는 외부자극에 해당하는 날씨가 나의 육체와 마음에 영향을 끼친다는 사실이다. 사람마다 에너지를 더 적극적으로 발휘하게 되는 계절이 있다고 하는데 좁게 생각하면 마찬가지로 사고의 효율성이 극대화되는 날씨도 있기 마련이다.

내가 좋아하는 아침 날씨는 꽤 많은 비가 온 다음 날이다. 아직은 완전히 마르지 않아 반쯤 젖은 아스팔트 위에 촉촉한 구두소리가 귓전에 감길 때, 늦여름이나 초가을 그렇게 옅은 바람이 훅 지나가는 아침이다. 젖은 아스팔트는 적당히 어제의 잔상을 남기고 오늘 아침의 심장을 조심스레 두드린다. 생각은 떠오르는 것이 아니고 지나가는 것. 지나가던 생각을 붙잡아 내 손과 눈앞에 끌어다 놓고 시작하는 것, 그것이 기획자의 아침일 것이다.

혹자들은 저녁형 인간도 있어 아침에 충분히 자고 12 시 다 되어 일어나 아점을 만족하게 먹고 오후 한 두 시부터 슬슬 뇌를 가동한다 한들 무엇이 문제냐 할 수도 있다. 오후에 손님을 만나고 저녁부터 워밍업 한 후 밤 11 시 이후 본격적으로 집중력을 발휘해서 모두가 잠든 새벽녘에 승부를 본다고 말이다. 실제로 밤과 새벽에 더 무언가를 쏟아내는 분들을 보기도 했다. 하지만 건강에 나쁜 영향을 미친다는 것은 제쳐두고서라도 장기적인 관점에서 보면 썩 효율적인 방법이 아니다. 그러다 보면 꼭 중요한 일, 특히 집중해야 하는 문서작업들을 나중으로 미루게 된다. 낮에 시간이 비었을 때도 저녁이 될 때까지 기다리다가 그 시간을 흘려버리기 쉽다. 밤에 작업을 하는 스타일은 나쁜 습관을 만들어낼 확률이 매우 높기에 기획자가 될 생각이라면 절대 찬성하고 싶지 않다. 중요한 생각은 무조건 아침에 하라. 그리고 저녁이 되면 털어라.

기획자는 아침을 먹는 게 좋다. 식사가 아니더라도 무언가 씹고 시작하는 것이 좋다. 밤새 꾹 닫았던 입을 열고 씹어야 한다. 저작운동은 무기력을 막아준다. 아니면 빨대를 꽂고 우유라도 빨아야 한다. 얼굴근육에 긴장을 주고 호흡을 기다리게 된다. 커다란 셰이크에 미숫가루와 꿀을 넣고 마구 흔드는 것은 어떤가. 손의 감각과 흔들어대는 아귀힘이 만나 비로소 오늘 하루 에너지를 작동시켜 줄 것이다. 기획자는 오전 10 시까지 그날 할 일을 다 승부 지어야 한다.

어쩌면 이 모든 과정은 내가 하고 있거나 해야 할 그것을 위해 다른 잡념이 들어오지 않도록 생각의 커튼을 치는 일이라 할 수 있다. 나는 이것을 모닝셔터라 부른다. 단 하나의 생각을 위해 다른 생각을 단속하는 아침. 단단한 아침을 위해 스스로를 부팅하는 시간. 이렇게 시작한 아침과 그냥 지나온 아침은 그 결과가 확연히 다르다. 프로젝트를 받았다면 기획자는 그 순간부터 모닝셔터 모드를 가동해야 한다.

## 03

# 떠드는 것도 연습합니다

< 기획자의 아침_2 >

대학을 졸업하자마자 차가 생겼다. 4학년 겨울방학에 운전면허를 땄고 도로연수를 받자마자 회사차를 운전해야 했다. 내가 들어간 회사에 면허가 있는 사람이 나밖에 없었기 때문이다. 처음엔 회의를 갈 때 만 회사차를 이용했는데 점점 야근이 많아지면서 출퇴근 때에도 내 차지가 되었다. 집에서 회사까지 대략 삼사십 분에서 막히면 한 시간 정도 소요되었고, 나는 그 시간 동안 매일 졸기 일쑤였다. 그래서 시작한 것이 혼자 묻고 혼자 답하기 같은 독백쇼였다.

**"그렇게 생각하신 이유가 뭔가요?"**

영상, 광고, 전시, 이벤트, 창업 등 거의 모든 기획의 순서는 사실상 같다. 어떤 프로젝트건 사업의 개요가 있을 것이고, 해당 사업을 추진하기 위한 기본 방향을 세워야 한다. 다른 유사한 사업과는 차별화된 계획을 마련해야 할 것이며 우리 사업만의 콘셉트나 주제, 그에 따른 스토리, 그리고 그것을 잘 연출하기 위한 세부적인 계획, 이것이 기획의 전부이다. 기획을 한마디로 줄여서 말하라 한다면 벌어진 내 생각을 타이트하게 계획하기 일 것이다. 내 생각이 아무것도 걸치지 않은 몸이라면 기획은 보정속옷을 입는다고 생각하면 쉽다. 기왕이면 창의적인 생각을, 체계적으로 계획하여, 감동적으로 펼치고 싶은 것. 기획을 하다 보면 처음부터 끝까지 지겹게도 누군가에게 떠들고 설득해야 하는 일이 다반사다. 그런데 내가 가진 생각과 이야기를 누군가에게 설득하고 공감을 얻어내기는 얼마나 어려운가.

좋은 기획자는 대부분 말을 잘하는 편인데 회사를 다녀보면 모든 상사가 긴 설명을 싫어한다는 걸 알 수 있다. 내가 업무의 필요상 이야기해야 할 순간은 많은데 상대가 제대로 들어주는 순간은 많지가 않다. 내 이야기가 계속 듣고 싶거나 의미 있게 전달되려면 주어진 시간 내에 설명을 잘해야 하고 그러려면 내 생각을 임팩트 있게 가공하여 기회가 왔을 때 전하고 싶은 핵심을 충분히 전해야 한다. 사람들은 생각보다 핵심이 아닌 그 주변부를 설명하다 시간을 다 보낸다. 분명 생각할 단계에서는 기막힌 안이었는데 말을 전하는 과정에서 진부한 스토리가 되는 경우도 있다. 초보일수록 이야기는 내 뜻대로 전달되지 않는다. 앞으로 말할 내용을 예상하며 말을 끊거나 자기가 궁금한 것만 물어보기 때문이다.

언제 어디서 누구를 대하더라도 내 말을 듣는 상대에 휘둘리지 않고 내용의 정확성과 이야기의 매력을 균질한 정도로 전하려면 어떤 연습을 해야 할까.

나는 출근하는 차 안에서 내가 구상한 안을 설명하는 연습을 했다. 처음엔 내가 하고 싶은 말을 하나도 빠뜨리지 않고 다 해본다. 다음엔 십 분짜리, 오 분짜리, 삼분, 일분. 우리가 남의 이야기를 듣다 보면 저 사람은 한 이야기를 또 하고, 비슷한 단어를 바꾸어가며 결국 같은 이야기를 반복한다고 느낄 때가 많다. 충분히 설명해야 상대가 이해하기 쉽다고 생각하는 착각에서 비롯된 오류이다. 하지만 경력이 쌓여 지위가 올라갈수록 신입사원에 가까운 직원들이 하는 이야기를 들어보면 첫마디만 듣고도 그다음을 예상할 수가 있지 않은가. 분명한 목소리로, 동어를 반복하지 말고, 장황하지 않게, 특히 끝마디는 절대 흐려지지 않게 설명해야 한다.

사람은 누구나 상대적이기 때문에 그러려고 했지만 상대의 태도에 따라 내 말투와 내용이 달라질 수 있다. 누가 어느 순간에 치고 들어와도 꿋꿋하게 내 맥락을 유지하며 마무리지어야 한다.

"50 억 규모로 강릉에 건립되는 복합문화관입니다. 발주처는 **이고, 신축이 아니라 기존건물을 리노베이션 하는 경우입니다. 주 타깃은 관광목적의 MZ 세대입니다. 유사한 시설로 제주도의 **센터가 있고, 주제와 스토리는 현재 지역 설화에서 찾고 있는 중입니다. 차별화를 위해 올해 상복이 터진 동화작가를 만나기로 했습니다."

준비가 되어 있지 않으면 네다섯 문장 안에서 이렇게 요약해서 말하기 쉽지가 않다. 기획자는 서두와 말끝을 흐리면 안 된다. 문서작업을 많이 하기 때문에 문어체가 구어체로 바뀌었을 때 자신도 모르게 끝말을 흐지부지 마무리하는 경우가 있는데 본인만 많이 한 생각이지 듣는 사람은 처음이다. 또, 생각이 많기 때문에 과감하게 자르고 줄여서 한 문장으로 끊어서 말을 하지 못하는 경우도 많다. 그러한 생각을 하게 된 배경을 설명하느라 정작 본론은 전하지도 못했을 때 회의가 끝나거나, 임원이 자리를 뜰 때도 많다.

회의나 보고는 생각의 흐름과 과정을 전달하는 시간이 아니라, 생각의 결과를 내보이는 시간이다. 사람에 따라서는 두세 사람까지 있을 땐 잘 말하다가도 6 인용 테이블에 네 사람 이상만 되어도, 혹은 외부 인사만 참석을 해도 공식적인 자리라 생각해 본인이 생각한 것의 반의반도 전달하지 못하는 경우가 많다. 이럴 때를 대비해 문장은 짧고 간결하며 정확하게 끊어서 이야기하는 습관을 들여놓으면 좋다. 그리고 내가 이야기하는 그 순서 그대로 다시 문서를 작성했을 때 그것이 곧 기획서고 제안서고 보고서가 됨을 명심해야 한다. 기획서를 작성하는 방법이 따로 있는 것이 아니라, 내가 생각한 안을 누군가에게 체계적으로 전달하는 순서대로 글을 옮기면 된다.

차 안에서 나는 일부러 연락하기 귀찮거나 껄끄러운 상대에게 전화도 자주 한다. 자동차라는 것이 앞으로 나아가는 특성을 갖고 있고, 어디론가 늘 가고 있기 때문일까. 가만히 앉아서 전화할 때보다는 하기 어렵거나 싫은 이야기를 전하기가 수월해진다. 어디를 지나가다가 당신이 생각났다며 핑계를 대기도 좋다. 이때 전화는 받는 사람이 아니라 거는 사람이 주도권을 가지게 된다. 회사에서 전화를 한번 받고 다시 그 이전의 일로 뇌를 가동하는데 15 분 정도가 걸린다고 한다. 설령 상대가 받지 않았더라도 기록이 남으니 어차피 운전밖에 하지 못할 시간에 효율적인 일처리 방식인 것이다.

요즘 MZ 세대가 가장 어려워하는 일이 업무적으로 전화를 해야 하는 일이라 한다. 비대면 문화에 익숙한 친구들이 자신의 목소리로 전하고자 하는 말을, 듣고자 하는 말을 얻어내기란 쉽지 않을 것이다. 연습하는 것이다. 혼자 있을 때, 누구에게도 방해받지 않는 공간에서 사과도 해보고, 부탁도 해보고, 대들기도 해 보고, 멋있는 척도 해보는 것이다. 올림픽대로 막히는 구간에서 나는 무언가 이해할 수 없었던 사람에게 똑 부러지게 항변하는 연습을 많이 했다. 혹은 반대로 앞에서는 말하지 못했지만 끝나고 나서 집에 가면서 나 혼자 욕을 실컷 했던 적도 있다. 물론 실전에서는 그만큼 하지 못했고, 어떤 때는 연습하다가 그만 마음이 풀어져 막상 대면했을 때는 그 마음이 지나가버린 경험도 있다. 서울은 늘 복잡하고, 어디든지 막히며, 누구라도 바쁘다. 깐깐한 도시에서 나만의 차 안은 꽤 아늑한 공간이다.

**내 전화의 8 할은 운전하면서였다.**

04

# 지금 생각을 버리고 싶습니다

< 기획자의 아침_3 >

## 매주 토요일 아침, 극장을 방문한다.

토요일 7시 반에서 9시 사이가 영화를 보는 사람들이 가장 적다. 나는 그 주에 개봉한 영화를 늘 M13번의 좌석에서 관람했다. M13과 M14는 2개의 좌석이 붙어 있는 좌석인데 바깥쪽인 M13을 예매하면 바로 옆 안쪽 M14에는 절대 누구도 앉지를 않는다. 그러니 여유롭게 두 좌석을 차지하며 영화를 감상할 수 있다. 대부분 전체 상영관에서 10명 남짓한 사람들이 주말 늦잠을 뒤로하고 그 자리에 앉아 있는데 거의 혼자인 어르신들이다.

코로나 시기 우리는 넷플릭스 같은 OTT 서비스로 영화관을 가지 않고도 상영시간에 구애받지 않고 하루 종일 마음껏 콘텐츠를 즐겼다. 하지만 나는 코로나 때에도 마스크를 쓰고 좌석 띄워 앉기의 불편을 감수한 채로 꼭 영화관을 고집하곤 했다. 이유는 보고자 하는 영화 때문이라기보다, 내 발걸음으로 영화관이라는 공간에 도착해서 대형스크린을 향해 어두운 채 두어 시간을 꼼짝 않고 머무르기 위해서였다고 봐야 할 것이다. 내가 즐겨 이용한 영화관은 백화점 내에 있어서 쓸데없이 동선이 길거나 주차장과 거리가 멀거나 하지 않은, 입구에서 최단거리의 동선을 확보한 곳이었다. 토요일 아침 일어나자마자 대충 옷을 주워 입고 10여분 거리 내에 있는 동네 대형마트 지하주차장에 주차를 하고 엘리베이터를 타고 올라가면 바로 상영관이 나타났다. 무료주차는 4시간까지였고, 영화를 보고 나오면 보통 10시 정도가 되는데 그때 같은 건물의 대형서점이 문을 열었다.

서점에 가서 베스트셀러 동향을 살펴보고 책 좀 읽고 글 좀 쓰는 사람인양 몇 권을 훑어보는 행위가 나는 참 좋았다. 그 시간엔 서점에 사람이 거의 없어 유난히도 책 냄새가 널리 퍼진다. 사고는 싶은데 사버리면 잘 읽지 않는 인문학 책들도 몇 장 읽어보고 역사, 종교, 사회, 심리, 경제 분야를 지나치며 눈에 띄는 책이름을 찾아본다. 그중에 유독 어려워 보이는 책을 한 권 사고 여전히 혼자서 우아한 브런치를 먹으며 책의 목차를 살핀다. 그러고 집에 돌아와도 오후 1 시가 아직이었다.

새로운 이야기로 파일 덮어쓰기.

"같은 공간, 같은 시간대에 다른 이야기를 넣어보세요. 지난 한 주간 내내 생각하던 이야기를 주말 정도에는 다른 이야기로 바꾸어 주는 시간이 필요해요. 스스로 해내기 어렵다면 억지로 영화라도 보는 거죠. 우리 뇌는 그렇게 파일 덮어쓰기 하듯 앞의 콘텐츠를 지우는 작업이 필요해요. 안 그러면 자면서도 한 가지 생각을 하게 되고 일속에만 빠지게 되죠. 워커홀릭은 일종의 정신병입니다. 강도가 점점 세져야 일했다고 느끼거든요. 술 하고 똑같습니다."

1 년 반 정도 공황장애 약을 처방받아먹은 적이 있다. 그때 정신과 의사는 내게 이전에 하고 있던 생각을 중단하는 방법으로 매주 새로운 영화를 보는 것을 권했다. 밤에 보기보다는 아침에 보라고 하셨다. 토요일 아침 개봉영화를 보는 일은 내게 어떤 일이든 과몰입을 방지하는 꽤 훌륭한

처방이 되었다. 지금도 나는 그 습관 때문인지 일주일에 한 번은 영화를 보는 편인데 새로운 이야기로 파일 덮어쓰기를 하면 세상이 달라진 건 아니지만 그 세상을 예민하게 느끼는 나의 센서는 조금 무뎌져 있음을 알게 된다. 일정한 루틴이 생기게 되면 그로 인한 안정감으로 다른 중요한 일을 매끄럽게 할 수 있다고 하지만 루틴자체가 지겨워질 때도 있는 것이 인간인 것 같다.

초여름쯤이었을까. 한 번은 광고가 다 끝나고 막 영화가 시작될 무렵인데 둘러보니 나를 포함해 좌석엔 다섯 명이 고작이었다. 영화는 공포영화였는데 시작부터 음산하니 온몸에 소름이 끼치는 것이었다. 그런데 채 10 분을 상영하지도 않았는데 앉아있던 두세 명이 스르륵 빠져나가는 것이다. 스크린 오른쪽에 나와 왼쪽의 한 명, 언뜻 둘러보니 그렇게 두 사람만이 두 시간 정도 영화를 보아야 하는 것이다. 에어컨 때문인지 내부 온도는 시원하다 못해 춥기까지 했고, 왼쪽 좌석에 홀로 앉아 있는 사람은 모자를 눌러쓴 젊은 남자로 보였다. 그런데 무슨 이유에선지 젊은 남자로 보이는 관객이 천천히 내 쪽으로 걸어오는 것이다. 다른 관객은 보이지 않고, 내가 도망갈 공간은 없어 보였는데 너무 무서워 나도 모르게 입을 막았다. 그는 내 바로 뒷자리에 앉아 끝까지 영화를 관람했다. 영화를 보면서 그도 무서워서 사람이 있는 쪽으로 자리를 바꾸었다는 것을 알게 되었다.

"무서워서 한쪽으로 앉아 있으려고요."

영화에 집중할 수가 없었다. 뒤에 앉아버린 사람이 마치 영화 속 출연자로 느껴졌다. 그날의 영화는 기억이 나지도 않는데 그때 서늘하고 무겁게 내리 앉던 영화관의 공기는 가끔 영화관에 사람이 없을 때 어김없이 떠오르는 악성파일로 자리 잡았다. 어떤 파일은 단지 열어보았다는 이유만으로 바이러스를 전파시킬 때가 있지 않은가. 하지만 확실한 건 머리가 쭈뼛 서는 그날의 기억으로 교훈을 얻은 게 하나 있다. 어떤 일을 의도적으로 반복하는 경우의 수가 많아지면 내가 통제할 수 없는 상황의 경우도 늘어난다는 것이다.

기획자는 행동하기보다 생각을 많이 하기 때문에 몸으로 부딪혀서 깨달아야 하는 직업과는 달리 경험의 공간이 한정적이다. 많은 곳을 다니며, 많은 사람을 만나지 않았다고 자신 없어할 필요는 없다. 극적인 상황변수는 이처럼 안정적으로 느껴지는 반복 상황에서도 얼마든지 깊고 심각한 기억으로 자리 잡을 수 있다.

파일 덮어쓰기는 이전프로젝트의 성공과 실패를 잊기 좋은 수단이기도 하다. 내 의지대로 기분을 전환시키기 어려울 때도 효과가 좋다. 사람은 원인과 결과만 있으면 어떻게든 그걸 이어 붙여 하나의 이야기로 완성시키려 한다. 그런데 사람은 자기 머리에서 만들어진 이야기들로는 절대 이전 이야기를 삭제하지 못한다.

이처럼 기획자의 아침은 얼마든지 버라이어티 할 수 있다. 이야기를 정리하고 또 다른 이야기를 위해 이전 이야기를 덮어버리는 시간, 이 모든 거사는 아침에 결정된다.

그래서 나는 아침의 무게가 곧 기획자의 무게라 생각한다.

05

# 기획자의 메모리 노트 1 :

## 연락이 오지 않는다면 당신이 생각하는 그 것이 맞다

## 공모전의 추억

기획자에게 첫 공모는 첫사랑이나 첫날밤만큼이나 강렬한 기억이다. 30년 전 대학 졸업을 앞두고 처음으로 취업한 회사에서 꽤 규모가 되는 코엑스 전시 공모에 참여했다. 전자전 정도 되었던 것 같다. 그때 나는 제안서라는 것을 본 적도 없었고 쓸 줄은 더더욱 모르는 풋내기 신입사원일 뿐, 어찌 보면 공모가 무엇인지도 모르는 사회초년병에 불과했다.

"꼼빼가 있어."

(competition(경쟁)의 뜻, 설계공모를 칭할 때 부르는 의미로 만들어진 일본 조어이다.)

제안 공모를 통해 설계와 시공의 자격이 부여되는 입찰에 있어 제안서는 피와 땀과 눈물로 이루어진 신생아와도 같다. 기획자는 자신의 머리에든 지식, 그간의 경험, 기간 내 얻어진 정보, 집중력과 순발력, 체력으로 공모 안을 만들어 낸다. 공모 안을 제한된 시간 안에 매력적인 안으로 구성하기 위해 기획자는 그 기간 동안 자신의 모든 것을 바친다. 공모의 목적은 당선이기 때문이다. 공모 안은 이 땅에 새롭게 태어나는 아이디어로 완성되는 가장 이상적 그림이어야 한다. 어차피 답이라는 것이 존재하지 않는 일이기 때문에 만들어가는 과정 속에서 늘 새로운 변수가 등장하며 그 변수를 해결하지 못하면 실패와 직결되므로 스트레스 강도가 높은 일에 속한다. 각종 경조사 및 집안 행사와 친구, 애인과의 만남, 취미활동, 신체

및 건강관리 등 모든 사적인 활동은 사실상 중단되며 심지어 설날과 추석, 성탄절 같은 국민 기념일에도 출근 혹은 작업이 유지된다. 고도의 집중을 하지 않으면 양적, 질적인 결과를 동시에 얻을 수 없다.

나의 첫 공모 시기, 그때는 인터넷도 스마트폰도 없었다. 잠시 다른 것에 눈을 빼앗길 틈도 없었으며, 밤을 새고도 아침에 깨어 있는 것이 당연한 일이었기에 시간의 흐름을, 계절의 변화를 느끼기도 어려웠다. 벚꽃이나 단풍 구경, 명동 거리 같은 보통의 일상은 불가능했다. 눈 떠 있는 시간이라면 다른 걸 보지도 듣지도 않는 그 한 달에서 두 달 정도 기간 동안, 사람이 할 수 있는 모든 애를 쓰고 갓 태어난 아이를 바라보면, 내 아이가 그렇게 완벽하고 예쁠 수가 없었다. 기획자는 공모 안을 제출하고 나면, 나보다 더 애를 써서 애를 낳은 사람은 이 세상에 존재하지 않을 것이라는 확신과, 내 아이의 모든 면이 다른 아이보다는 구석구석 가장 우수하다는 자신, 그리하여 이 아이가 반드시 최고로 선택되어 세상의 관심과 박수를 차지할 것이라는 기대로 발표를 기다리게 된다. 다른 안을 보기 전까지 대개 그렇다.

공부를 잘했었다. 조금 더 정확히 말하자면 시험을 잘쳤다. 그러니까 시험을 전제로 한 공부에는 효율성을 최대로 발휘했던 것 같다. 시험에 나올 만한 것만 공부했고, 시험 직전에만 공부했고, 시험을 잘 볼 만큼만 공부했다. 그런데 여기서 중요한 것은 '시험에 나올 만한 것'이 무엇인지 알아보는 능력이다. 즉, 평가자가 만드는 기준을 알아채고 그 기준에 따라

답안을 꼼꼼히 준비하는 힘이다. 설명하기 쉽지는 않은데 효율성의 공부는 시험에 나오지 않을 만한 것은 과감하게 눈감는 용기이다. 그렇게 시험을 잘 보고 나면 오래 앉아 처음부터 끝까지 공부하지 않기에 사실 공부의 총량은 많지가 않게 된다. 그러므로 공부를 잘한다는 말은 제대로 공부한 친구들에게 미안한 말씀이다. 어쩌면 공부가 하기 싫어 공부를 했다고도 할 수 있다. 그런데 학과 공부뿐 아니라 백일장, 독후감, 사생대회, 합창대회, 서예, 방학숙제, 환경미화, 과학의 날 그리기 대회, 불조심, 반공포스터, 표어 등 학교에서 주체하는 거의 모든 대회성 이벤트에서 나는 수상을 못해본 적이 없었다. 해당 분야의 실력과는 별도로 나는 상을 받는 법을 좀 일찍 깨달았다고나 할까.

나의 이러한 성향은 어릴 적부터 두드러졌는데 나는 무엇이든 평가자의 마음을 꿰뚫는 재주가 있었다. 일등은 최고라는 점수를 매기는 그 누군가의 마음에 달렸다고 믿었다. 공모에서 일등은 모든 분야에서 우수한 작품을 뽑는 것이 아니다. 공모 작업은 일등 할 만한 이유, 그 이유를 찾는 일이고, 그 이유가 다른 모든 이유보다 매력적일 때 선정이 되는 게임인 것이다. 기획자는 자신의 기획에 무엇이 매력인지 분명히 설명할 수 있어야 한다. 설령 누군가가 비슷한 매력이 있다 해도 아주 똑같은 안은 없기 때문에 무조건 내 매력이 어필되도록 총력을 다해야한다. 내가 만든 매력이 다른 모든 부족한 그 무엇들을 덮을 수 있을 만큼 매력적일 때, 우리는 선택되고 그것을 당선이라 부른다.

하지만 나의 첫 공모, 첫아이는 태어나자마자 선택되지 못한 이유로 죽어야 했다. 아마 3 일을 끙끙 앓았던 것 같다. 그때 사장은 나에게 정중하게 미안하다고 했다. 사실은 내정된 업체가 있었고 공모라는 형식 안에서 우린 들러리로 참여하는 것이었지만 내가 너무 열심히 하여 도저히 말할 수 없었다고 했다. 두 번 울었다. 나보다 더 최선을 다한, 나보다 더 매력적인 안이 선택을 받은 것이 아니라 울었고 그런 내 아이는 태어나기도 전에 죽어야 했던 것을 몰랐기에 그것이 미안해 울었다. 태어나 처음으로 열심히 최선을 다해도 처절하게 실패하는 일이 있다는 것을 알게 해 준 나의 첫 공모. 그 이후로 어떤 공모에서 떨어졌어도 그때보다 슬프거나 아쉽거나 혹은 억울하지도 후회되었던 적도 없었다.

세월이 지나고 보니 그때 그 마음도 옅어지고 희미해졌지만 아직도 잊혀지지 않는 그 무엇이 있다. 주제나 아이디어, 그림, 그 어떤 전략하나 제대로 기억나지 않지만 최초 소식을 들었을 때 마치 총이라도 맞은 것 같았던 쓰라린 가슴의 날카로운 충격, 친한 누군가의 부고를 들었을 때처럼 숨이 딱 멈추던 아득함, 그럴 리가 없다는 강렬한 반발심, 내 속에서 나를 붙잡고 있던 무언가가 훅하고 빠져나가던 그 순간의 느낌말이다. 공모 안을 제출하고 시간이 꽤 흘렀는데도 결과를 알려주지 않았던 이유를 그제서야 알게 되었던 기억도 함께다. 어떤 소식은 소식을 들었던 그 순간만이 영원한 것도 있다.

대학생일 때부터 제안공모 작업을 시작했으니 약 삼십년에서 십년정도는 다른 일로 빼앗긴 세월을 빼고 이십년간 무수히도 떨어지고 또 수없이 당선이 되었다. 그렇게 희비의 엇갈림을 경험했으면서도 그날의 충격은 아직도 생생하다. 어쩌면 첫 공모에서 너무나도 쓰라린 패배를 하는 바람에 이른바 승부에 강한 맷집이 생겨버렸는지도 모르겠다. 공모에서 당선이 되는 경우, 보통 발표가 끝나고 저녁 늦게라도 소식이 들려오지만 낙선일 경우는 그 다음날이 되어도 무소식인 경우가 많다. 밤은 길고 마음은 불안한데, 아침이 되면 누가 알려주지 않더라도 온몸으로 깨닫게 된다고 할까.

돌아보니 그때 내가 그토록 괴로워했던 마음은 최선을 다했던 시간을 인정받지 못했다는 아쉬움이 그때 유독 컸다기보다 그냥 어렸기 때문인 것 같다. 다듬어지지 않은 열정과 순수가 가슴 가득했기 때문일 것이다. 가끔 그날의 내가 생각나는 건 아무래도 열정의 크기와 강도가 그리워서는 아닐까. 다시는 다시 할 수 없는 첫사랑처럼 말이다.

06

# 오전의 에너지

< 기획자의 아침 _4 >

**열 시 전에 정리한다.**

회사 생활을 하다 보면 다른 사람들과 물리적인 환경, 그날의 변수 때문에 나만의 시간이 여의치가 않다. 문제는 딱 방해받지 않는 그 두 시간, 그만큼인데 끊어지지 않고 오전에 그런 시간이 주어지려면 그 회사는 일이 없거나 내가 능력 없는 임원이거나 남들은 출근을 하지 않았거나 아니면 휴일일 것이다. 회사를 그만두고 프리랜서로 일을 해도 오전을 알차게 보내기가 쉬운 것은 아니다. 강제적인 출근이 없기 때문에 아침에 일어나 각 잡고 책상에 앉기까지 쓸데없는 에너지가 꿈틀거리기 때문이다.

데드라인을 정해놓고 일을 해야 한다. 머리회전이 가장 빠른 시간에 가장 중요한 일을 해야 한다. 예를 들어 오늘 할 일 중에 가장 중요한 원고작업이 있다면 그걸 그 시간에 한다. 완성은 아니더라도 1 차로 마무리까지 한다. 출근해서 열 시까지 중요한 일을 무조건 끝낸다(는 생각으로 컴퓨터를 부팅한다). 고도의 집중력을 발휘해 쓰기 싫은 사업개요도 정리하고, 맨날 거기서 거기인 기본방향도 수립하고, 이기기 위한 차별화계획도 짠다. 하기 싫은 일은 대체로 피곤하거나 어려운 일인데, 그걸 하고 나면 다른 건 수월해서 일과가 끝난 저녁이 여유롭다. 하기 싫고 어려운 업무를 아주 많이 하다 보면 결국 그 일도 쉬워지기 때문에 **내가 하는 일 자체가 나를 짓누르거나 내 자신을 덮거나 하지 않게 된다. 내가 하고 있는 일을 완벽하게 통제하려면 업무 영역 중 가장 까다롭고 힘든 그것이 수월해져야 한다.**

"저는 분석이 가장 싫어요."

어떤 후배는 분석을 하는 페이지가 가장 어렵고 짜증 나고 해도 티도 안 난다고 자꾸 미루게 된다고 한다. 어떤 친구는 '저는 분석은 잘하는데 대안을 못 짜겠어요.' 하며 푸념한다. 또 어떤 신입은 전체를 장악하는 주제를 잡는 게 가장 어렵다고 한다. 분석을 싫어하는 성향이거나 대안을 마련하지 못하거나 주제를 잡는 게 어려운 쪽이라면 사실 기획업무가 적성에 맞는 사람은 아니다. 하지만 기획이 꼭 하고 싶고 전문성을 인정받고 싶다면 얼마든지 연습으로 기량을 끌어올릴 수 있다. 분석이나 대안, 전략 수립을 타고난 사람은 거의 없다. 기획의 스킬이라는 것이 대부분 후천적 학습과 경험으로 어느 정도까지는 전문성을 키울 수 있다.

조금 어렵다 느껴지는 그 부분을 가장 뇌가 반짝일 때 집중적으로 갈고 닦으면 된다. 어려우니 쉬운 것부터 하고 자꾸 나중으로 미루다 보면 결국 그 어려움을 마주하기가 싫어 어쩌면 내가 택한 직업이 싫어질 수도 있다. 세월이 흘렀는데, 내가 가장 잘하는 일도 이것인데, 다른 일은 할 줄도 모르는데, 어려움을 미루던 습관 때문에 결과적으로 하기 싫은 일을 붙들고 있는 기획자가 되어버릴 수도 있다. 잘하는 일과 그 일을 좋아하는 것은 별개인 문제이다. 기획이라는 업무와 기획자라는 직업이 날이 갈수록 좋아지려면 그 어려움을 반드시 쉬움으로 만들어야 한다.

나는 일이 생각보다 잘 풀리지 않을 때, 그걸 미련하게 계속 붙잡고 있지 않는 편이다. 어떨 때는 분명히 신선하지 않은 아이디어인데 그걸 계속 진행해서 마무리 지어야 할 때가 있다. 다시 처음부터 완전히 새로운 안을 만들 수 없을 때, 결과가 빤히 보이는데도 제출을 끝내야 할 때, 이번 판은 접고 싶은데 이번이 끝나야 다음을 시작할 수 있을 때, 시험지 받아서 풀다 보면 분명 이번 시험은 망친 것이라는 걸 알겠는데 하지만 시험지는 다 풀고 나가야 하는 것처럼. 게임에서 이번 판은 운이 없어 접고 싶은데 이번 판을 끝내야 다음 판이 주어질 때처럼.

그런 날은 집에 돌아와 언젠가 사두었는데 바쁘다는 핑계로 읽지 못했던 책을 펼쳐든다. 낼모레 무언가 제출해야 하니 시간도 없는데 이상하게도 책 읽기를 멈추고 싶지가 않을 때가 있다. 책 읽을 시간이 많지 않다고 생각하니 더 읽고 싶고 이 책을 덮으면 다시 그 일을 해야 하니 속도도 빨라 짧은 시간에 읽은 양은 더 많아진다고 할까. 학교 다닐 때 시험공부하기 싫은 과목의 시험 전날, 그렇게 괜히 새로운 책을 읽곤 했다. 하기 싫은 일을 앞두고 읽고 싶었던 책을 읽는 일은 나름 좋은 습관으로 자리 잡았다. 사람이 책을 집중해서 읽다 보면 20분만 지나도 스트레스가 반이하로 줄어든다고 한다. 우리가 꼭 독서를 하기 위해 책을 구입하는 것은 아니다. 나는 가끔 책을 가방에 넣지 않고 꼭 들고 다닌다. 그래야 지금 내가 이 책을 읽어야 한다는 사실과, 아직 다 안 읽었다는 사실을 잊지 않으려고 부러 그렇게 하기도 한다.

뇌를 많이 쓴 오전시간이 지나면 그 후엔 좀 여유로운 일을 챙기곤 한다. 혼자 생각했던 것을 누군가에게 떠들거나 전하기도 하고 그러려고 사람을 만나기도 한다. 점심을 먹고 나면 긴장감이 풀어지고 새로운 잡념이 들어오게 된다. 기획자의 승부처는 바로 오전 두 시간, 그동안의 집중력에 달려있다. 일주일에 5 일을 일한다면 사실상 그 시간은 10 시간 남짓이다. 한 달 이면 50 시간, 넷플릭스 8 부작 시리즈를 시즌 7 개 정도 정주행하는데 그 정도가 소요될 것이다. 회사에 하루 종일 앉아 있다고 그 시간을 모조리 기획에 충력을 기울이지는 않는다. 축구선수가 90 분 내내 죽어라 달리며 공을 차지 않듯이, 자신에게 공이 왔을 때 에너지를 모아 끝내 해결해 버리는 결정력이 필요하다. 그 집중력을 제때 잘 발휘하기 위해서 아침에 감각을 깨우는 일상을 반복하고, 버려질 수 있는 시간에 연습도 하고, 에너지를 낭비하지 않으려고 파일 덮기도 하는 것이다.

07

# 밥 잘사는 기획자

< 기획자의 점심_1 >

**밥을 잘 사는 것이 속편 하다.**

어차피 비싸진 커피도 사야 하는데 받고 돌려주기보다 먼저 쥐버리는 게 어떤가.

사실 점심값이 만만치가 않다. 각자도생의 시대에 누군가의 밥값을 낸다는 것이 MZ 세대에겐 썩 반갑지 않은 계산법일지 모른다. 직원들끼리 점심을 먹으러 갔는데 높은 직급의 구성원이 밥값을 내는 문화도 없어진 지 오래다.

어느 시기 소규모의 디자인회사에서 계약직으로 삼 년 정도 근무했다. 서너 명 나보다 십 년 이상 아래인 친구들과 점심을 같이 먹게 되었고, 방학 때는 인턴이 합세해 자식과 같은 세대인 학생과도 자리를 같이했다. 연장자인 내가 계속 밥값을 내는 것이 서로가 부담스러워 점심시간에 혼자 먹을까도 고민했었다. 삼사 개월은 다이어트를 핑계로 혼자 샐러드를 시켜서 먹기도 했다. 그러다가 일주일에 한 번은 내가 사기로 마음먹고(물론 아무도 몰랐겠지만) 불규칙을 가장해 슬그머니 계산을 했다. 밥값을 계산하지 않은 날은 인원수대로 커피를 샀다. 달달한 게 생각나는 오후엔 간식을 배달시켜 나눠 먹었다. 밤을 새운 날 새벽에는 편의점 음식들을 사가지고 갔다.

돈이 많아서라기보다는 그들과 같이 한 시간에 대한 나의 예의였다고나 할까. 직장생활 얼마 안 된 친구들이 점심을 사주기엔 빠듯할 것이고 그렇다고 누군가에게 얻어먹는 건 싫었을 테니 각자 계산하는 건 당연해 보였다. 상대적으로 여유가 있었던 나지만 그렇다고 밥값을 내는 명분이 매일매일 생기기도 어려웠다. 그런데도 그냥 밥을 사주고 싶다는 마음이 결국은 전달되었던 것 같다. 얻어먹는다는 생각이 들지도 않고, 상대의 부담을 염려 안 해도 되고, 모든 것이 자연스럽기는 또 얼마나 힘든 가. 지금도 그 시기를 떠올리면 일보다는 밥을 같이 먹었던 시간들이 생각난다. 사람들은 추억을 회상할 때 흔히들 식사장면을 많이 떠올리곤 하지 않는가. 누구는 어떤 특정 메뉴를 먹지 못하는데, 누구는 어떤 음료만 고집하는데, 이런 사소한 기억들이 배려 깊은 선후배로 인식되는 일상이 아닐까. 내가 전하고 싶은 이야기는 어떤 목적 없이 그냥 밥을 사주고자 하는 진정성도 전달되듯이, 마찬가지로 다른 목적 때문에 밥을 사겠다는 것도 느껴진다는 것이다. 누군가 나에게 밥을 사겠다고 했을 때 우리는 그 이유를 본능적으로 알아차린다. 점점 밥 먹는 자리가 부담스러워지는 것은 밥상 메뉴 아래 숨은 나 혹은 상대의 진짜 메뉴 때문일지 모른다.

의도 없는 친절과 호의는 그 사람 주변을 따뜻하게 한다.

자주 밥을 사면 확실히 인간관계에서 오는 스트레스가 줄어드는 것 같다. 기획자의 끝에는 팀장이나 리더, 오너의 자리가 보이기 마련인데 꼭 지위가 높아지지 않더라도 밥을 잘 사는 기획자로 살다 보면 인간관계에서 실수도 줄어든다. 식사 메뉴는 밥값을 계산하는 사람이 정할 때가 많은데 자연스레, 동선과 구성원, 그 자리에 대한 의미 같은 경험 데이터가 쌓이게 되고 각박한 사회생활을 자기 주도적으로 할 수 있는 원동력이 된다. 만남의 성격에 따라 약속장소를 정하는 센스, 각종 맛 집, 신 메뉴 등에 대한 거부감 없이 자신감은 물론 융통성 있는 마인드를 갖게 된다.

여성 기획자들 중에 누군가와 식사자리를 부담스러워하는 친구들이 많다. 나 역시도 식사자리를 썩 좋아하지 않았다. 이십 대 때 특히 싫은 사람과 밥을 먹으면 금방 체하기도 했다. 누가 밥 사겠다고 하면 인사로 하는 말인데도 걱정부터 앞서곤 했다. 내가 기획의 '기'자도 모를 때 선배들은 그렇게 밥을 많이 사주었는데 따라다니면서 나도 모르게 배운 게 있다. 밥 사는 자리는 내가 하고 싶은 이야기를 하고 싶은 만큼 하는 시공간이라는 점이다. 그리고 밥을 같이 먹게 되면 먹지 않을 때보다 몇 배로 그 사람을 더 자세히 알 수가 있다.

어떤 사람은 점심을 먹지 않는 패턴으로 하루를 살아가는데, 그 친구는 점심을 패스하고 스트레이트로 일을 마친 후 다섯 시쯤 늦은 점심 겸 이른 저녁을 먹고 운동을 한다고 했다. 프리랜서로 일을 많이 한 사람들은 다 같이 나가 한자리에 앉아 점심을 먹는 방식을 선호하지 않는다. 어느 쪽도 정답은 아니지만 식사패턴을 보면 그 사람의 인생도 알 수가 있다. 어떻게 살아왔는지를 알 수 있으므로 그 사람을 이해하는데 많은 도움이 된다. 특히, 업무를 사이에 두고 왜 그런 결정을 했을까 싶을 때 퍼즐처럼 맞추어지는 것이 바로 그 사람의 일상이며, 일상의 중심에 식사가 있다.

요즘 세대들이 거부하는 회식문화도 사실 내 의도와 상관없이 끌려 나가는 입장이니 마음이 불편한 것일 테다. 밥을 사 버리면 마음이 개운하다. 얻어먹은 밥은 결국 빚이 된다. 모든 걸 털고 가야 순수한 기획이 탄생한다. 어딜 가면 항상 나처럼 밥값을 내고 싶어 하는 사람이 있기 마련인데, 처음부터 강하게 의도를 내보인다면 그땐 과감히 양보한다. 기획자는 언제 어디서나 의도를 먼저 드러내놓지 않고 시작해야 한다. 기획은 아주 높은 곳에서 넓게 바라보다 원하는 지점을 정확하고 깊숙하게 공격하는 미사일과도 같기 때문이다.

08

# 서점에서 고민하기

< 기획자의 점심_2 >

**답답할 때 훌쩍 서점엘 간다.**

밥은 먹기 싫고 그렇다고 일은 하기 싫고 시간은 아까울 때.

요즘은 구글링만 열심히 해도 웬만한 논문까지 다 찾아볼 수 있으며, SNS 만 좀 뒤지면 상대에 대해 금방 파악할 수가 있다. 카톡 프로필 사진만 주르륵 뒤져봐도 어느 정도 관심사나 취향, 성향들을 추정할 수 있고, 장기 비대면의 영향으로 텍스트에 사용하는 단어, 이모티콘, 반응하는 속도에 따라 우리는 상대의 심리를 이전보다 더 잘 알게 되었다. 컴퓨터와 핸드폰에 모든 것이 다 있다 해도 과언이 아닐 것이다. 그래서인지 부러 발품을 팔아 서점에서 책을 찾고자 하는 일은 흡사 '7080 낭만콘서트' 같은 느낌이 든다. 실제로 요즘 친구들은 한 달간 제안서 작업을 하면서 책 한 권 사지도 읽지도 않고 오로지 인터넷만 이용한다. 같은 책인데 E 북으로 판매되는 간행본도 많다. 만약 책을 읽을 필요가 있다면 그 어려운 책을 먼저 읽고 해설해 주는 리뷰용 유튜브도 천지다.

새로운 프로젝트를 맡게 되면 먼저 관계된 전문서적과 단행본, 논문을 찾고 주문을 해놓거나 출력을 해놓는다. 기획을 위한 독서는 꼼꼼하게 읽는 정독이라기보다 훑어보며 관련된 정보 찾기에 해당한다. 여러 책을 사서 같은 주제인데 어떻게 풀었는지 비교해 보는 것이다. 예를 들어 여성사박물관을 기획한다고 보자. 먼저 '여성사'라는 텍스트가 들어간 책은 모두 검색해 본다. 시대 순, 테마 별, 이슈별로 몇 권 목차를 살펴보면 대충 흐름을 알게 된다. 이제 전문서적이 아닌 동화, 소설, 시 등의 문학작품에서 같은 주제를 다룬 것이 있는지 찾아본다. 무릎을 탁 치게 되는 은유나 기발한 상상, 적절한 비유는 문학작품에서 누군가 먼저 그려놓았기 때문이다. 온라인에서는 내 의지대로 책을 검색하고 선택하기 쉽다. 요즘은 절판된 책도 중고로 개인거래 할 수 있다. 책을 많이 읽고 기획에 임하다 보면 누구를 만나도 자신 있는 발표자가 된다. 이 건에 대해 나보다 많이 아는 사람은 없기 때문이다. 프로젝트가 본격적으로 진행될 때 시간은 없는데 다들 바쁠 때 공부하지 않은 사람들이 어느새 내용을 다 파악하고 있는 사람에게 이것저것 물어보게 된다. 그 사람이 당신이라면 당신은 기획자가 맞을 것이다. 마치 시험을 치고 나면 우등생에게 몰려와 정답을 확인하는 이치와 같다.

많은 책을 뒤졌는데도 딱이다 싶은 책이 나오지 않을 때, 그때 자리를 박차고 일어나 서점에 가보는 것이다.

예전에 회사 근처에 대형서점이 있어서 툭하면 점심시간에 서점엘 가곤 했다. 한번 둘러보고 오면 알 수 없는 불안감이 줄어들고 그만큼 알 수 없는 보람도 얻어진다. 서점에서 책을 찾고 고를 때는 그 바로 옆에 꽂힌 책의 영향을 받기 마련이다. 나는 이상하게도 원래 찾아야 할 정보가 아닌 엉뚱한 책에 이끌린 적이 많다. 예전부터 궁금했던 책이 하필 거기 있기도 하고, 지금은 아니지만 나중에 도움이 될 것 같은 책도 왜 그리 많은 걸까. 이삼십 대에는 모든 필요한 책 말고도 꼭 읽어보고 싶은 시집을 같이 샀다.

어렵고 보기 싫은 전문서적들 속에서 시집을 산다는 것만으로도 내가 문학적인 사람이라도 된 듯 위안이 되곤 했다. 그렇게 책들의 숲을 지나 다시 사무실에 들어섰을 때 점심 한 끼 이상의 배부름이 함께 느껴졌다.

LA 다운타운에 '더 라스트 북 스토어'라고 하는 레트로 분위기의 서점이 있다. 사진 찍기 좋은 곳이라 하여 꽤 유명한 서점인데 헌책들이 즐비하게 구석구석 배치되어 있어 책을 찾고 사려는 사람들보다 고서점의 분위기에 흠뻑 젖어보려는 사람들이 더 많아 보였다. 나 역시도 아주 오래된 책 마을을 산책하는 기분이 들었다. 책으로 만든 아치형 터널도 있고, 타자기에서 나온 종이가 천정에 닿도록 한 소품도 있었다. 좁고 어두운 공간에 여행용 트렁크를 쌓아놓고 작은 그네와 함께 벤치도 있어 휴식하러 책 구경한다는 생각이 절로 들었다.

나는 낡아빠진 그 책들이 각각 아주 오래 산 사람들로 느껴졌다.

각자 자기 인생 이야기를 담고 서 있거나 앉아서 나는 이렇게 살았어요, 말하는 것 같았다. 그렇게 치자면 세상 사람들이 재미없고 지겹게 보더라도 자신에게는 얼마나 소중한 이야기 인가. 서가에서 눈에 띄는 책 한 권을 들고 그 무게감에 따라 책장을 넘기고 몇 페이지 읽는 것은 어쩐지 주인이 없는 집에 잠깐 들어가서 한눈에 집 구경을 하고 오는 기분이 든다. 해외출장을 가게 되면 꼭 서점을 방문하라고 당부하고 싶다.

예전에 기획 상무 한분이 직원들에게 너는 앉아서만 일을 하느냐, 현장에도 가보고 좀 돌아다녀보고 글을 써라 했었다. 그 말 듣고 업무시간에 새로 오픈한 박물관 가본다고 나갔다가 엉덩이가 그렇게 가벼워서 어떻게 글을 쓰냐고 산만하면 생각이 정리 안 된다고 혼난 적이 있다. 생각 끝에 서점에 갔다가 내 돈으로 책을 가득 사 왔더니 몇 권 중에 어떤 책을 자신에게 빌려달라고 했다. 그래서 일단 빌려드리고, 나는 서점에 가서 똑같은 책을 또 구입했다. 그다음부턴 책을 빌려달라는 말씀도 안 하시고, 자리에 없는데 임원이 나를 찾을 경우 직원들은 서점에 갔다고 둘러댄다고 했다. 한국 조직문화 정서에서 책상에 앉아 신문을 펴놓고 보는 것은 한가한 일이나, 서점에 가는 것은 부지런 일이 된다.

기획자에게 서점은 참 유용한 도피처이다. 설령 아무 책을 사지 못했다 하더라도 책은 마음의 양식이고, 내 마음 하나는 살짝 채워졌으므로.

09

# 한 시에 회의

< 기획자의 점심_3 >

**가끔 한 시에 회의시간을 잡는 발주처가 있다.**

밥 먹고 가기 애매한 위치에 상대편 회사가 있을 경우 나는 아예 일찍 간다. 자기들은 점심 먹고 들어올 테니 니들은 먹든지 말든지 와 있으라는 의미로 해석돼 더 철저하게 회의 준비를 해간다. 늦어도 12 시 30 분에서 40 분 사이 도착해 약속시간보다 일찍 가서 회의 테이블에 무겁게 앉아 있는다. 앉아 있다 보면 밥 먹고 들어오는 참석자들이 노출되고 그럼 어쩐지 약간 미안한 마음으로 그들은 회의를 임하게 된다. 기획자는 회의를 주도하거나 구성안을 보고하거나, 설명할 때가 많다. 발표를 하겠다고 미리 와서 앉아 있으면 사무실 풍경도 보이고 내가 설명해야 할 내용도 다시 톺아볼 수 있다.

밥을 먹고, 먹자마자 회의를 하겠다는 것은 두 가지 의미이다. 첫 번째는 회의 시간을 좀 길게 가져도 된다, 즉 충분히 이야기를 들어 볼 필요성이 있다거나, 해줄 말이 많다고 여기기 때문이다. 두 번째는 그렇더라도 빨리 끝내고 싶다는 뜻이다. 회의가 늦게 잡히면 퇴근 무렵이나 본인 스케줄에 영향을 받기 쉬우니 빨리 처리하고 가겠다는 속내가 들어있다. 세시 네 시에 또 회의라는 둥 자신은 바쁘다는 첨언을 곁들일 수도 있다. 중요한 일이라면 오전에 보자고 할 수도 있는데 10 시나 11 시가 되면 점심시간이 걸리게 되고 서로 원치 않는 식사자리가 생길 수 있다. 어쨌든 한시 회의는 상대를 살짝 배려 안 하고 자신의 입장만 고려한 결과이다.

사실 이렇게 중요한 일정으로 한 시에 회의가 잡히면 임원급이 아니고서는 점심을 패스하게 되기 마련이다. 오전 내내 회의 준비를 할 것이기에 말이다. 또 발주처나 협력사에 오래 잡혀 있게 되고, 회사로 복귀하면 어느덧 5 시가 다 되어 그날 하루는 회의로 날려버리기 쉽다. 회의로 하루가 영향을 받으면 괜히 다른 일은 하지도 못하고 시간을 낭비했다는 생각이 든다. 기획자는 회의가 끝났을 때부터 본격적으로 일이 밀려오므로 마음은 더 급해진다.

그래서 한 시 회의를 잡고 통보하는 발주처는 협력사를 배려하지 않는다고 봐야 한다. 같은 논리로 내가 회의를 잡을 때 한시는 피해야 한다.

혹시 예상외로 회의가 일찍 끝나 늦게라도 점심을 먹을 의지가 생긴다면 그땐 허겁지겁 대충 메뉴를 고르지 말고 여유를 갖고 식사할 수 있는 메뉴를 택한다. 사람이 참 웃긴 게 아예 시간을 한참 지나 점심시간이 지나버리면 먹어야겠다는 생각 자체를 접어 버리므로 다음 순서를 계획하는데, 점심은 못 먹었는데 일이 애매한 시간에 끝날 때 여유가 생기기보다는 사람을 초조하게 만든다. 뭔가 뒤처졌다는 생각 때문일까? 그래서 다음 스케줄이 없는데도 서둘러 밥을 먹게 되고 퇴근하긴 이르므로 늦은 오후에 다시 동력을 살려내야 한다.

내가 전하고 싶은 말은, 일어난 일은 돌아보지 말고 항상 지금부터여야 한다는 것이다.

점심시간은 회사생활에 있어서 꿀 같은 시간이다. 독서실 같은 사무실 분위기라면 유일하게 콧바람 쐬며 내 마음대로 자유가 주어지는 시간이다. 학교 다닐 때 꼭 점심시간에도 성문종합영어나 수학의 정석 같은 참고서를 펴고 공부를 하는 친구가 있었다. 시끄럽고 왁자지껄한 순간에도 늘 이어폰을 끼고 고개를 숙여 끄덕도 안 하는 친구였는데 성적은 중상위권 정도였다. 공부를 잘하는 친구들은 점심시간을 충분히 중간 휴식으로 활용했던 것 같다. 수학시간에 영어 하고, 영어시간에 국어하고, 자율학습 시간에 자고, 체육시간은 빠지고 하는 친구들은 늘 바쁘고 정신만 없지 효율적인 공부를 하지 못했기에 당연히 성적도 별로였다.

사회생활을 십 년 이상 하다 보면 자기 몸에 맞는 생활패턴이 생기게 된다. 예를 들어 나는 일찍 자고 일찍 일어나서 이른 아침에 바짝 일을 하고 점심은 이른 시간에 아주 간단히 속만 채우고, 다섯 시에는 일을 마무리하고 저녁엔 운동하러 간다든지 하는 식이다. 이런 경우의 점심시간은 자기 신체리듬에 맞추어 최적화된 시간활용으로 자리매김할 수 있을 것이다. 업무의 효율성과 건강관리 면에서 무리가 없기 때문이다. 그런데 나는 오전 11 시, 12 시에 일어나서 커피를 한잔하고 점심이지만 아침을 먹고 머리가 깨는 3 시부터 컴퓨터를 켜서 서너 시간 일하고 저녁을 먹고 휴식을 취했다가 다시 10 시, 11 시부터 새벽까지 일을 한다 했을 때 점심은 의미가 없다. 점심은 낮에 일하는 사람에게 주어지는 휴식이나 에너지 충전이다.

기획자는 머리를 많이 쓰기 때문에 될 수 있으면 아침도 먹고, 점심도 먹는 게 좋다. 두뇌회전은 해가 지게 되면 느려지고 그 사이 다른 정보들이 많이 들어오기 때문에 집중력도 흐려진다. 그러므로 오전 시간의 파워풀한 가동을 위해 아침도 중요하고, 그것을 유지하기 위한 에너지 보충을 위해 점심 또한 중요하다. 만약 하루에 두 끼만 먹어야 한다면 아침과 점심을 추천하지, 아침과 저녁이거나, 점심과 저녁은 아니다. 한 끼만 먹을 수 있다면 늦은 점심이다. 해외출장을 가보면 우리나라 사람들처럼 하루 세끼를 식사시간으로 활용하는 사람들이 많지가 않음을 알 수 있다. LA 에서 집필을 하다 보니 이곳을 자주 예로 들게 되는데, 겨울엔 해가 유난히 짧고, 또 한국인들처럼 바쁘고 빠듯하게 다니지도 않고, 한국처럼 저녁문화가 당연시되지도 않다 보니 짧게 끊어 세끼를 먹기보다 하루 한 끼를 여유 있게 먹는 편이다. 하지만 그렇게 식사를 하면 그 나머지 시간에 모두 일을 할 것 같아도, 결국 루즈한 일상이 되기 쉽다.

기획자는 저녁을 대충 먹어야 아침이 가볍고 일찍 시작할 수 있다. 그래서 나는 점심시간에는 그냥 점심을 먹기를 권한다. 한 시에 회의가 있을 때를 빼고는.

10

# 고독한 게 우아한 건가요?

< 기획자의 점심_4 >

회사동료 중에 혼자서만 밥을 먹는 이가 있었다. 아무리 같이 나가서 먹자고 해도 아니요,라고 대답하던 그 완고한 입술이 아직도 생생하다.

**그 친구는 사실 같은 부서에서 왕따였다.**

나는 아주 오래전부터 공식 왕따나 이른바 학교 날라리들과도 친하게 지내는 경향이 있었다. 형제가 없다 보니 늘 친구에 목말라 친구 사귀기에는 편향적인 스타일을 고집하지 않았다. 이러한 나의 학창 시절 교우관계는 보통사람들보다 타인의 감정과 상처에 보다 잘 공감하는 사람으로 성장하는 배경이 되었다. 그녀는 나보다 먼저 회사에 들어온 친구였기에 나는 그녀가 어떤 이유로 왕따를 당하게 되었는지 알지 못했다. 하루는 밤을 새야 할 일이 있어 야근을 하고 있는데 새벽녘에 그 친구가 갑자기 나타났다. 퇴근을 했지만 다시 회사에 온 것이었다. 알고 보니 미국에 팩스를 보내기 위해 왔다는 것이다. 그 친구는 그렇게 늘 미국과 연락을 위해 수시로 새벽에 와야 했고 답신을 받기 위해 아침까지 기다려야 했다. 그러니 다른 직원들과는 일상패턴이 다를 수밖에 없었고, 튀지 않기 위해 조용히 생활한 것인데, 다른 직원들이 느끼기엔 사회성이 부족한 것으로 보였던 것이다.

"저는 혼자서 아주 우아하게 밥을 먹어요."

그녀와 함께 우연히 회의테이블에 같이 앉아 서류를 들여다보는 순간이 왔다. 묻지도 않았는데 그 친구는 자신을 이야기했다. 마치 그동안 당신이 같이 밥을 먹자고 했는데 왜 그렇게 하지 않았는지에 대한 답이라도 해준다는 듯이.

"아, 그래요? 어디서요?"

사실 중요한 건 장소가 아니라 어디서든 '혼자서 아주 우아하게' 먹는다는 행위에 있었지만 나는 좀 더 일상의 대화를 이어가고 싶었다. 그녀는 아주 비싼 레스토랑에 가서 테이블 웨어와 식기가 제대로 세팅된 하얀 테이블에서 스테이크를 주문해 와인과 함께 혼자 천천히 식사를 한다고 했다. 그때는 지금처럼 혼밥이 일상화된 시절이 아니었다. 혼자 밥을 먹는다는 게 먹는 이나 보는 이나 무척 스트레스받는 일이었다. 그녀의 말에는 나는 너희들과는 달라, 너희들은 맨날 바쁘게 살고 밥도 우르르 몰려다니며 먹지, 나는 그렇게 살지 않아,라는 뉘앙스가 담겨 있었다. 거의 매일 그렇게 먹는다고 했다.

"혼자 먹으면 좀 쓸쓸하지 않나?"

나는 혼잣말처럼 이렇게 말했던 것 같다. 그녀는 고독이 반찬이라고 했다. 그렇게 먹으면 마음속의 분노 같은 게 사라진다고도 하였다. 이십 년도 더 지났는데 그녀의 목소리가 아직도 생생한 걸 보면 내겐 꽤 신선했던 장면이었던 듯하다. 그 후로도 나는 그녀가 누군가와 같이 밥을 먹는 장면을 본 적이 없고, 여전히 우리와 같이 밥을 먹은 기억도 없다. 그 친구는 업무가 폭증하던 우리 부서에 적응하지 못하고 다른 부서로 가게 되었고,

그러다가 회사를 그만두었는데 그 후 그녀의 소식을 아는 사람은 보지 못했다. 그녀를 떠올리면 자주색 코트를 입고 근사한 레스토랑의 하얀 테이블에 앉아 스테이크를 썰고 있는 모습이 떠오른다. 나는 그녀가 웃는 모습을 한 번도 보지 못했는데 그 후에도 계속 그렇게 고독한 식사를 이어갔는지 궁금하다.

나는 코로나 전까지 만해도 혼자 가서 식사를 오래 즐기고 오는 곳이 있었다. 집에서 차를 타고 십 여분 거리였는데 사람이 없을 시간에 가서 그 카페의 시그니쳐 메뉴를 시키고 배불리 먹은 다음, 사람들이 많아지기 전에 또 한 번 다른 메뉴를 시켜 다 먹고 오곤 했다. 그런 카페를 우연히 발견하고 장시간 있어도 누가 되지 않을 좋은 자리를 정해 놓고 마음이 변할 때까지 그곳을 방문하는 것이다. 꼭 식사를 위해서가 아니더라도 누구에게나 그런 장소가 있지 않을까. 마음 둘 곳 없는 요즘 세상에 나만 아는 케렌시아라 해도 좋겠다.

돌아보면 그런 곳에서 그런 시간에 썩 생산적인 무언가를 하진 않았던 것 같다. 조용히 책도 읽고 글도 쓴다고 바리바리 싸들고는 갔지만 올 때 그대로 싸들고 왔던 날들이었다. 어쩌면 아무것도 하지 않아 무(無)의 시간으로 기록된 것 같기도 하다. 하지만 이해할 수 없었던 사람들의 행동이나 조금은 억울했던 일들, 알게 모르게 스며들었던 분노의 감정들이 정리되는 시간은 아니었을까. 그렇다. 사람들이 생각을 정리할 시간이 필요하다는 알쏭달쏭한 그 의미는 상처받은 내 마음속에 차오르는 슬픔과 분노를 가라앉힐 시간의 다른 말인 것을.

고독식당을 즐기다 못해 고집했던 옛 동료를 다시 떠올린다. 살면서 수많은 점심을 먹었는데 점심시간에 꼭 점심을 먹지 않던 그녀의 고집과, 그럼에도 불구하고 나는 그녀가 우아한 점심을 즐기는 모습만 생각나는 이 메모리를 저장한다. 지금도 혼밥을 즐기다 못해 고집하는 많은 기획자들이 고독을 가끔 즐기되 일상화하지는 말았으면 좋겠다. 고독을 즐기는 것과 실제로 고독해져 버리는 것은 차원이 다른 이야기이다. 고독이 창작의 배경이나 일시적인 동력은 될 수 있겠지만 꼭 그렇게 해야만 창작이 되는 것은 아니다. 기획자는 어떤 특정한 감정을 오래 유지하는 것이 바람직하지 않다. 묵은 감정은 어느 정도 용량이 차올랐을 때 털어내고, 나 자신을 텅 빈 상태로 만드는 것이 가장 좋다. 기획자는 창조적이어야 하지만 창작만을 고집하는 예술가가 아니다. 바닥을 치고, 하늘까지 올랐다가도 다시 인간계로 돌아와 객관을 주시할 수 있어야 한다.

11

# 기획자의 메모리 노트 2 :

위장이냐 대장이냐

## 내 몸 지키기

같은 일을 오래 하다 보면 이전과 같은 순간에 스트레스를 받게 된다.

기획안이 설계안으로 넘어갈 때 해당 프로젝트의 결과물들은 누가 그리고 만드는가. 내가 총괄했던 전시기획은 특정 테마가 부여된 코엑스 전시 같은 단기성, 기획성, 비상설 행사가 아니라 건축물이 있어 국공립으로 건립되는 상설전시였다. 사업기간이 길다. 박물관, 과학관, 테마파크, 홍보관, 복합 문화공간 같은 상설전시는 설계 및 제작 기간이 길기 때문에 지금 내 손에 기획안이 있다 하면 보통 1년에서 2년 후에 개관을 한다. 더구나 많은 제안서에 치여서 살다 보면 무슨 박물관이 언제 내 손을 거쳐서 지금 관람객과 만나고 있는지 심지어는 이 땅 위에 세워는 졌는지 까마득하게 잊어버리기 일쑤다. 또 아무리 훌륭한 기획안으로 당선이 되었다 해도 설계기간 동안 수정, 변경되고 최종적으로 관람객 앞에 등장하는 것은 전혀 다른 이야기 일 수도 있다. 광고나 영화처럼 불특정 다수의 시청자의 반응을 몸소 느끼기도 어렵다. 하여 전시기획자는 역할에 비해하고 있는 일에 보람을 느끼기가 쉽지가 않다. 아니 어느 지점에서 보람을 찾아야 할지를 알 수가 없다.

영화 엔딩 장면에 올라가는 수많은 스태프의 이름을 보면서 더욱 내가 하고 있는 일에 허무함을 실감하기도 한다. 공항 VIP 라운지만 해도 인테리어 디자이너의 이름 석자가 새겨져 있다. 우리는 땅 파서 무조건

건물부터 짓는 문화였기에 건설사와 건축사까지는 어딘가에 이름이 새겨져 있다. 앞에 언급한 비상설 전시회도 입구의 배너에 아르바이트 인원까지 이름이 나열되어 있다. LA 에 장기간 체류하면서 어느 주말에 홀로코스트 박물관을 방문한 적이 있는데 건물외벽에 선명하게 박물관 기획 및 디렉터의 이름이 적혀 있었다. 그러니까 지금까지 내가 기획하여 이 땅에 생겨난 박물관 어디에도 내 이름 석자는 쓰인 적이 없다.

하지만 지금까지 이 땅에 존재하지 않던 박물관이 2 년 후에 완공되기까지 누군가는 맨 처음 중요한 내용을 계획된 공간에 최고의 방법으로 연출하여 밑그림을 그린다는 점에서 전시기획자는 막중한 사명을 가져야 한다. 만들어진 구성안을 수정하고 변경하는 일은 잘하고 못하고를 떠나 전문가라면 누구나 할 수 있다. 하지만 주어진 짧은 시간 안에 무에서 유를 창조하여 새로운 무언가를 만들어내기란 일종의 산통에 가깝다. 쉬운 일이 아니기 때문에 외려 해내는 재미는 크다고 할 수 있다. 우리는 전시문화산업이 유럽처럼 독자적으로 역사를 가지고 형성된 것이 아니고, 건축의 하도급, 혹은 인테리어로 취급되면서 시작된 업이라 전시기획자의 위상도 낮은 편이다. 하지만 언제가 될지 전시기획자도 광고나 영화처럼 어엿하게 이름이 올려지는 날이 오기를 기대한다.

동쪽으로 기운 나무는 동쪽으로 쓰러진다는 법문이 있다.

하나의 프로젝트를 끝마치고 나면 꼭 아픈 직원이 있었다. 이삼일을 끙끙 앓아눕는 것이다. 며칠 휴가를 주면 쉬는 동안 충전을 위한 활동을 하기는커녕 시체놀이만 하다 온다는 것이다. 제출이나 마감일이 반복되는 일을 하는 경우 위염, 장염은 단골 질병이다. 컴퓨터 작업을 오래 앉아서 하다 보니 목과 허리 디스크, 그로 인한 신경통도 빈번하다. 나의 경우는 빈혈이 문제였다. 빈혈은 오랜 기간 서서히 진행되기 때문에 오늘은 컨디션이 안 좋기 때문이라고 착각하게 되며 늘 이런 상태이다 보니 육체적 불편과 고통에 익숙해진다. 밤을 새우고 제안서를 제출한 다음날 아침 분당 수서 간 고속화도로를 운전하며 집으로 돌아가는데 곡선도로의 잔상이 남아 직선도로까지 계속 이어지는 현상이 나타났다. 겹쳐져 보이는 도로 중 어떤 것이 진짜인지 알 수 없어 바짝 정신을 차리고 운전했지만 두 줄, 세 줄로 보이는 도로선 위에서 그냥 감각대로 갈 수밖에 없었다. 바로 안과로 갔더니 살짝 내사시가 왔고 될 수 있으면 저 산 너머 구름을 보듯 멀리멀리 시야를 두라고 했다. 늘 그렇듯 특별한 처방은 없고 눈을 쓰는 일을 하지 말라는 말뿐이었다.

예전에도 밤을 새우거나 며칠 야근을 하면 계단이 평면적인 미끄럼틀로 인식되고 책을 펴면 초점이 바로 맞추어지지 않곤 했다. 눈이 급격히 나빠지니 덜커덕 겁이 나 병원으로 달려가 내과 검사를 했다. 결과는 영양실조에 의한 빈혈 증상이 심한 경우로, 100 점을 만점으로 치자면 빈혈점수는 4 점이라고 했다. 살면서 몸에 피가 부족하다는 의미를 이해하지 못하고 살았다. 마스크를 썼기 때문에 숨이 찬 것으로 여겼는데, 혈액에 산소가 적어 그랬던 것이고, 갑자기 일어서면 핑하고 별이 서너 개 보였던 것, 신경을 좀 쓰면 뒷머리를 쥐어짜듯 예민해지던 것, 야근을 하고 집에 돌아오는 길은 졸음운전의 연속이었던 것, 소화가 안 되면 순환이 안 되어 그런 줄 알았는데 그날 밤 잘 때 유난히 다리가 저리던 것.... 등등. 딱히 어느 한 곳이 티 나게 아픈 것은 아니었지만 늘 그저 그랬던 날들의 끝에 결국 극심한 빈혈 판정을 받은 것이다. 배가 부르면 머리가 무거워진다고 밥 먹는 시간을 건너뛰고, 운동 같은 건 배부른 자의 사치일 뿐이라고 살았던 벌이었을까.

이러저러한 증상의 나열과 미래에 대한 경고보다, 빈혈수치를 점수화한 것이 내게는 큰 효과가 있는 진단이었다. 100 점 만점에 4 점이라니... 빈혈은 단기간에 쉽게 좋아지는 병이 아니라서 일 년을 치료해도 숫자는 올라가지 않는다고 했다. 일 년 후에 갔더니 정말로 25 점밖에 되지 않아 실망했던 기억이 있다. 그런데 안과적인 증상이 신기하게도 사라진 것이다. 빈혈로 인한 일시적 연쇄반응이었던 것이다.

누구나 스트레스를 받으면 바로 직접적으로 영향을 받아 증상이 심해지는 부위가 있다. 여성의 경우 복잡한 몸의 구조상 여러 기관이 연쇄적으로 조금씩 나빠진다. 마감일만 다가오면 위염으로 고생하고, 일이 끝나면 다시 장염으로 며칠 드러눕고, 때 되면 극심한 생리통으로 아무 데도 못 가고, 먹는 걸 그리 즐기지도 않는데 살은 찌고, 하루 종일 마신 카페인의 총량은 여지없이 수면의 양과 질을 방해한다. 대개 증상이 비슷하다. 어떤 클라이언트는 살찐 기획자는 어쩐지 예리할 것 같지 않아 일을 맡기기 싫다고 하는 사람도 있다. 큰 병이 아니라 여겨 알면서도 방치하며 살고 결국 만성병이 되는 것인데, 이를 조기에 근절하는 방법은 자기 절제와 일상의 규칙성에 있다.

나 혼자 살 경우 만성병을 고칠 확률은 거의 없고 그대로 그 만성이 일상화될 확률은 매우 높다. 그러므로 자신의 몸에 일어나는 변화에 더욱 민감해야 한다. 또 하나 자신의 잘못된 생활습관으로 나타난 증상을 무슨 오랜 훈장처럼 자랑한다든지, 이 정도 고통은 받아야 일을 제대로 했다고 말할 수 있다든지 말도 안 되는 자기기만의 논리로 자신을 방어하는 사람들도 있다. 프리랜서들 중에 혼자 사는 여성들이 많은데, 사십 대 중반이 넘어가면 약속이나 한 듯 한 두 가지 고질병을 달고 산다. 기혼 여성은 남편과 아이들 때문에라도 일찍 일어나야 하고 신경 쓰고 몸을 움직여야 할 일의 개수가 많기 때문에 늘 여러 일을 동시에 처리하는 습관이 배어있다. 하루 중 오로지 나만의 시공간이 주어져 일을 할 수 있는 상황이 여의치 않기 때문에, 할 때 온 정신을 집중해서 일을 한다. 미루어 봤자 내일 일만 더 많아지므로 즉각적으로 해결한다. 좀 하다 보면 금방 아이가 돌아오고 남편이 퇴근하기 때문이다. 쉽게 말해 아플 시간도 없고, 아파서는 안 되기 때문에 아프기 전에 나 자신과 타협하거나 아픈 후에라도 나 자신과 조율하며 자기 통제에 익숙해진다.

그리하여 혼자 우아하게 자기 생활을 마음껏 즐길 줄 알았던 멋진 프리랜서 여성들은 십 년, 이십 년이 지나 더 늙어 있고 더 경쟁력이 떨어진 채로 무기력하게 변하는 모습을 많이 보았다. 프리랜서 생활을 권하지 않는다거나, 결혼을 택하라는 의미가 아니다. 일을 즐겁게 하면 더없이 좋겠지만, 아무리 좋아하는 일이라 해도 일은 일이다. 좋아하는 일을 오래 하고 싶다면 자기 통제는 필수다. 피가 섞인 가족도 아니고 배우자도 아닌 돈이 사이에 놓인 이해관계로 맺어진 사람들은 그 이해관계가 사라지면, 손가락에서 모래가 빠져나가듯 스르륵 사라진다. 일로 맺은 관계는 일을 같이 할 때 소중하고 의미 있는 것이지, 돌아와 벌거벗은 몸으로 혼자 지켜내야 할 것은 그들이 아니라 바로 오롯이 남겨진 내 몸뚱이 하나다.

아무리 근사한 일도 하다 보면 스트레스를 받을 때가 있고 그때 스트레스를 어떻게 관리하는지가 그 일을 오래 할 수 있을지를 판단할 수 있는 근거가 된다. 기획자는 자신의 몸에 누구보다 예민해야 하고 몸이 보내는 신호를 잘 캐치하여 일과 함께 일 속에서 잘 다스려야 한다. 어디 산속에 들어가 두어 달 공기 좋은 데서 자연의 음식이나 먹고 오겠다는 식의 진부한 멘트는 거두시라. 평소 365 일 건강해야 누구를 만나도 짜증이 나지 않고, 어떤 업무에서도 평정심을 유지할 수 있다.

12

# 입을 막는 기획자

< 기획자의 오후_1 >

**좋은 기획자는 어떤 사람을 말하는 걸까.**

좋은 기획자는 누구에게 좋다는 뜻일까.

실력이 출중하다는 뜻일까.

실력은 어디서 드러날까.

실력은 무엇으로 쌓을 수 있을까.

나는 가끔 그 사람 기획 잘해, 그 친구는 기획을 못해, 기획은 잘해, 기획만 못해, 기획이 강해, 이런 말을 들을 때마다 과연 잘하고 못하고의 기준이 무얼까 생각한다. 대체로 업계 평판이라는 게 있어서 실무 작업을 같이 하는 사람들끼리는 아주 틀린 말이 오가지는 않는다. 지금까지의 경험으로 보건대, 기획을 잘한다는 의미는 오래 생각하고 고민하여 어떤 주제든 뼈대가 튼튼한 집을 만든다는 의미가 아닐까 싶다. 장고 끝에 악수를 둔다고 이 생각 저 생각을 오래 하다 보면 디딤돌보다는 걸림돌이 많아져 정작 새로운 생각을 얻어내기가 쉽지 않다. 하지만 고민의 시간이 많았기 때문에 이 질문 저 질문에 빠짐없이 답해줄 수는 있다. 그만큼 고민의 단계가 높고 깊었기 때문에 지금 던지는 질문이 어느 단계에서 나오는 질문인지 충분히 안다는 것, 그리하여 내일이 되면 자연스레 그다음의 생각이 어디까지 진행될지 예상할 수 있다는 것, 그렇다면 마침내 나의 의견에 동의할 수밖에 없다는 것, 팀원 혹은 클라이언트와 이러한 질문과 대답의 과정을 거치고 있다면 아마도 좋은 기획자가 기획하는 프로세스가 아닐까.

어떤 프로젝트가 시작되면 킥오프 미팅(Kickoff meeting)을 한다. 킥오프는 원래 축구에서 시작된 용어로 경기의 시작을 알리는 첫 번째 킥을 말한다. 이 킥오프 미팅에서는 발주처와 프로젝트를 진행하는 팀이 처음 만나 서로 인사를 하고 앞으로 진행될 내용과 일정 등을 공유하게 된다. 비대면 문화의 일상화로 만나서 하는 회의가 차츰 줄어들고 줌을 통한 화상회의도 병행하게 되면서 한 번의 대면 회의가 가지는 의미와 범위는 더욱 커졌다고 할 수 있다. 즉, 킥오프 미팅에서 서로 인사하고 밥 먹고 앞으로 잘해보자는 말만 나누지는 않게 되었다.

MZ 세대로 내려갈수록 이런 대면 회의, 다 같이 회의실에 모여 벌서듯 한두 시간 잡혀 있는 회의를 극도로 싫어하는 경향이 있다. 조직이 클수록 사실상 윗사람의 교화시간이 되기 일쑤고, 조직이 작아도 윗사람의 고민나누기 시간이 되기 쉽기 때문이다. 그러니까 사실상 회의란 다양한 의견을 수렴하여 좋은 결정을 하는 자리여야 하지만, 이미 결정된 사실을 통보하거나, 먼저 생각한 사람의 의견을 공유하는 자리인 것이다. 어쨌거나 회의의 주인공은 기획자이다. 기획자는 회의의 중심에 서서 더 많이 생각한 의견을 보여주고 알려주는 사람이다. 좋은 기획자는 내가 제시한 그것들을 통해 여러 질문을 일깨우되, 다시 그 질문의 입을 막는 사람이다.

내 의견을 고집하고 억지로 주장하라는 의미가 아니고, 쉽게 떠오를 수 있는 질문에 언제나 미리 답을 포함한 의견을 제시하여 궁극엔 아무도 질문할 것이 없도록 하라는 뜻이다. 그러려면 항상 예정된 어젠다, 예상할 수 있는 범위보다 더 많은 것을 공부하고 준비해 가야 한다. 수학이나 영어로 치면 다음 단원까지 미리 예습을 철저히 하고 가야 한다. 오늘 회의 안건이 기본방향이라면 세부계획까지 준비해 놓고 가라는 뜻이다. 이것은 기획자의 숙명이라 할 만큼 중요한 자질이다. 기획자는 질문하는 사람이 아니고 그 질문에 답을 하는 사람이기 때문이다.

킥오프 미팅이 잡히면 내가 한 고민을 정리하여 내가 고민한 순서대로 최선을 다해 회의 자료를 만들어야 한다. 원래 오늘 이야기해야 할 분량을 넘어 다소 지나칠 정도로 자료를 준비한 후 뒷부분은 그날 회의진행의 상황에 따라 남겨두어야 한다. 뒤에도 많지만 시간상 여기까지 보여줄 뿐이라는 것이다. 생각을 다 한 다음에 따로 시간을 내어 자료 만들 생각을 하지 말고, 생각을 하면서 페이지를 채워나가야 한다. 내가 맨 처음 고민한 내용이 처음 장표이고, 그것의 해결방안들이 그다음 장표라는 생각으로 자료를 완성한다. 그리고 내가 아니라 다른 사람이 파일을 열더라도 그 순서대로만 말하면 누구나 이해할 수 있도록 하면 된다.

혹자들은 본질이 아닌 회의자료 만드느라 시간을 낭비하지 말라고 충고한다. 동의할 수 없다. 허접하게 디자인한 회의 자료는 아무리 콘텐츠가 풍부해도 그것을 보는 사람이 무시를 당하는 느낌이 들 수 있다. 특히 첫 만남, 킥오프 미팅 때는 신경을 써야 한다. 처음부터 수준을 높여서 회의 자료를 만들 버릇을 들이면 나중엔 그렇게 시간이 오래 걸리지도 않으니 기획자는 늘 회의 자료를 성의 있게 만들려는 노력을 해야 한다. 회의 따로 실제 업무는 따로 할 생각이라면 그 자료는 보여주기 용이지만 내 고민이 담긴 자료라면 그 고민의 결과는 프로젝트가 끝날 때까지 유효하다. 한번 잘 만든 회의 자료는 결국 본 제안서나 기획안에 꼭 소환되어 끝까지 활용됨을 명심하시라.

기획자는 말하는 태도도 너무나 중요하다. 당신들이 단편적으로 쉽게 던지는 그 질문을 나는 이미 다 해본 생각이고, 그것을 고려, 반영, 적용, 해결한 아이디어가 이것이니 염려 말라는 자신감으로 프레젠테이션해야 한다. 이때 주의해야 할 점은 내가 더 많이 안다는 식의 거만한 자세, 가르치려는듯한 태도가 아니라 앞으로도 더 공부하겠다는 느낌의 겸손하고 친절하면서도 밝은 톤이어야 한다. 지나치게 시니컬하거나 목소리가 작거나 피곤해 보이면 이 또한 내용과 상관없이 발주처에게 신뢰를 주지 못한다. 무슨 개인적인 일이 있어 우리 사업에 영향을 준 것은 아닌가 하는 괜한 염려를 불러일으키기 때문이다. 첫 미팅에서 완벽한 신뢰를 주고 돌아와야 그다음은 사사건건 간섭도 줄고 웬만해선 소위 말하는 딴지를 걸지 않는다. 그날 미팅에서 아무도 어떤 질문을 하지 않았다면, 그건 기획자에게 성공적인 회의였다고 할 수 있다. 물론, 이 모든 과정이 노골적으로 결의에 찬 것으로 보인다거나 승리를 위한 행동으로 보여서는 안 된다. 언제나 그렇듯, 물 흐르듯 자연스럽고 편안하게, 어제도 그랬고 내일도 그럴 것이라는 듯.

# 13

# 첫번째 날이 운명을 결정지어요

< 기획자의 오후_2 >

**주제는 프로젝트를 처음 받은 날 결정한다.**

어떤 일이든 처음 의뢰받는 날이 있다. 기획자는 그 일을 연락받는 당일, 사실상 뼈대에 해당하는 초기 구상이 끝나야 한다. 아니 끝내어야 한다. 이 훈련을 해놓으면 프로젝트 이름만 들어도 자동적으로 다음 생각이 펼치질 것이다. 빨리 정하라는 의미가 아니다. 주제나 테마가  급하다고 빨리 생각날 문제는 아니다.

나는 대부분 연락을 받자마자 떠오르는 처음 생각을 첫 회의 자료로 만들기 시작한다. 물론 계약이나 조건 등이 결정되지 않아 선불리 작업을 진행하는 것이 헛수고가 될 지 모른다고 생각할 수 있다. 하지만 나의 경우는 반대가 더 많았다. 의뢰를 한 쪽에서 생각지도 않았는데 더 많은 것을 받았다 여기게 되고 결과적으로 좋은 이미지를 선사하게 된다.

만약 당신이 오전에 연락을 받았다면 당신은 발주처가 떠올린 첫 번째의 적임자 일 확률이 높다. 오후에 받았다면 그 적임자가 일을 할 수 없거나 거절했기에 떠올린 대안일 수 있다. 오후 늦게 일수록, 주말 직전일수록 당신은 여러 대안 중 한 사람일 것이다. 적어도 당신일지 상대는 한 번에 시원하게 결정한 것이 아니다. 그렇기에 바로 흔쾌히 답을 할 필요는 없다. 상대가 고민하고 택한 나라면 나도 상대를 고민하는 시간을 가지도록 한다. 상대 입장에서 어떤 점을 고민했을지 헤아려 보는 것이다. 그 고민이 이해가 갔다면 그 지점이 바로 객관적인 나의 약점일 것이다.

언제 연락을 받았는지가 왜 중요할까. 오늘이라는 디데이의 남은 시간을 고려해야 하기 때문이다. 기획자는 어떤 사업의 정보를 들었을 때부터 두뇌가 가동되기 시작한다. 그래서 하룻밤이 지나면 기획자가 바라보는 방향은 거의 굳어진다. 쳐다보고 올려다보고 내려다보는 그 방향대로 길을 찾아가게 되어 있다. 더 공부해서 모든 걸 종합하면 그때쯤 좋은 안이 나올 것 같지만, 누구도 알려주지 않을 그 처음에 내가 가야 할 방향을 용기 내어 맘먹지 않으면 시간이 지나도 잘 보이지 않는다. 오후 세시가 되어도 프로젝트의 방향이 잡히지 않으면 저녁이 되면 더 어렵고 계속 고민한 채 잠들어 새벽녘에야 문득 실마리가 잡힐지 모른다.

기획의 과정에서 기본방향이나 전략 같은 계획들은 분석으로 도출된 이성적인 결과들이다. 따라서 사업은 다르지만 기본방향과 전략이 비슷할 수도 있다. 그러나 주제, 테마, 스토리와 같은 항목은 항시 새로 워야 하고 특별해야 하기에 기획자의 창의성이 그 결과의 차이를 만든다. 창의성은 시간과 비례하는 능력이 아니다. 시간을 들인다고 도출되는 영역이 아니지만, 창의적인 역량을 시간 내어 학습할 수는 있다. 기획자는 누구보다 세상과 사람을 보는 관찰력이 뛰어나야 한다. 어떤 하나의 이슈를 대할 때 높고 깊고 넓은 통찰력으로 접근해야 한다. 그리고 수많은 정보를 원하는 조건에 맞게 가공할 조합능력이 필요하다. 우리는 평소에도 이러한 능력을 차곡차곡 쌓을 수 있다.

우연히 LA 에 있는 KFC 를 갔는데 매장 한편에 <TOP SECRET PROCESS>라고 적힌 붉은 패널이 걸려 있었다. 부제는 'TO GREAT TASTE'였다. 치킨을 만드는 3 가지 과정을 RINSED BREADED ROCKED 라 크게 써놓고 간단한 설명을 붙인 것이었다. 헹구고 반죽하고 흔드는 레시피는 치킨 말고도 있겠지만 저렇게 무슨 대단한 비밀처럼 최고의 맛을 내기 위한 비법으로 소개를 하니 한눈에 이해하기 쉽고, 정말 세 가지 비법이 있는 것으로 느껴졌다. 이런 식으로 나는 상업시설에 갔을 때 자신들을 맨 앞에서 소개하는 무언가를 꼭 발견하고 그것을 저장해 놓는다. 훌륭한 차별화 전략 세 가지에 해당하기 때문이다.

비행기를 타면 내가 탄 항공사의 매거진을 들추면서 타이틀을 유심히 본다. 마치 숲 속의 사냥꾼이 되어 먹이를 사냥하듯이. 내가 아는 장소지만 다른 콘셉트로 포장한 것을 보고 그때 느꼈던 신선함을 또 저장해 둔다. 대형 쇼핑몰이나 아웃렛, 백화점, 호텔 등이 신규 오픈하기 전에 그들이 내세웠던 테마와 스토리를 유심히 쳐다본다. 그리곤 오픈 시즌에 맞춰 직접 가보고 그 테마가 잘 구현되었는지, 공간의 분위기와 전체 색조는 조화를 잘 이루었는지 살펴본다. 넷플릭스나 디즈니의 시리즈가 공개될 때 본편보다 예고편을 더 챙겨본다. 전문가는 길고 복잡한 내용을 단 한마디로 정의하는 사람이다. 어떠한 스토리를 무어라 말했고 무엇과 비교했으며, 어떻게 자랑하는지 찾아보는 것이다.

이처럼 최신의 상업적 공간과 콘텐츠는 소비자에게 화제성을 일으켜 관심을 모아야 이슈가 되기 때문에 적극적인 마케팅 기술을 구사하며 귀에 꽂히는 트렌디한 용어들을 잘 활용한다. 또, 기존에 있던 그림이고 알던 문자지만 전혀 새로운 포장 기술로 사람들을 주목시킨다. 기획자는 세상에 떠돌고 있는 다양한 텍스트를 주시하며 항상 사람들이 최근에 자주 사용하는 구어체 관행도 관찰해야 한다.

이렇게 평소에 저장해 놓은 빅 데이터를 활용해 느낌대로 주제를 떠올리고 그에 맞는 소주제, 주제를 구현할 차별화전략, 주제를 극대화하는 공간을 머릿속에 그려놓는다. 집으로 돌아갈 때 문득 생각이 나서 차를 세우고 내용을 메모해 놓은 적이 있다. 내친김에 아무 정보가 없는 지인에게 전화를 걸어 이러저러한 아이디어가 있는데 어떤 것 같냐고 물어본다. 최초로 들은 사람이 그럭저럭 오케이를 하면 반 이상은 성공이다. '괜찮은 것 같다'고 할 수도 있고, 아주 가끔 '어, 좋은 생각인데?'라고 할 때도 있다. '썩, 와닿지 않는다', '어딘가에 있을 것 같은데?', '너무 어렵다' 같은 답도 처음에 들을 땐 자주 나온다. 웬만해선 듣는 쪽이 어떻게 반응을 했다 해도 사실 내 생각을 바꾸지는 않았던 것 같다.

기획은 학위를 얻기 위한 공부나 예술을 표현하는 작품이 아니기 때문에 주어진 시간 및 조건과 환경 안에서 구체적인 성공을 향해 달려가는 과정이다. 끝없이 이어지는 공부나 경계 없는 예술이 아니라 분명한 끝이 있어 작업에 효율성을 높여야 한다. 기획은 혼자 하는 공부나 예술이 아니라 협업과 자문을 오가며 최상보다는 최적의 답을 만들어 가는 일이다. 따라서 꼭 빨리 끝나야 좋은 설계로 이어지는 것도 아니다. 반대로 기획기간이 길어서 깊이 있는 결과물이 도출될 수도 있겠지만 우리나라의 현실에서 충분한 기획단계는 잘 주어지지 않는다. 중요한 것은 경우마다 각기 다른 경우의 수에 최대한 정답에 가까운 경우의 안을 만들어 내는 것이다. 그러기 위해 기획자는 선택과 집중으로 승부처를 결정해야 한다. 그 향방은 내가 그곳으로 가기로 한 첫날, 그때 운명이 결정된다.

# 14

# 리더의 외출

< 기획자의 오후_3 >

**세시 이후에는 자리를 비켜준다.**

그리고 퇴근 가까이 해가 질 무렵 돌아온다.

팀장은 경력이 쌓여서 팀장을 하는 것일까? 팀장이 나이순이 아닌 걸 보면 그건 아닌듯하다. 애초에 팀장 그릇인 사람이 그 역할을 하는 것이다. 자리가 사람을 만든다고 하지만, 그것도 될 만한 사람에 해당하는 이야기고, 자리가 아무리 주어져도 팀원으로서의 일만 하는 사람이 수두룩하다. 하여 구성원을 이끌고 협업을 하는데 리더로서의 역할은 나이가 어리거나 경력이 부족해도 얼마든지 가능하다. 극단적으로 팀 프로세스를 한 번만 이해할 기회가 주어진다면 그다음부턴 능력 순이다. 그런데 가만 보면 전체를 총괄하는 일을 처음부터 더 잘하는 사람들은 대부분 기획 머리가 있는 인력들이다. 전체 프로세스를 관리하고 운영하는 능력이 곧 기획의 일이기 때문이다.

리더가 되고자 하는 기획자는 여러 구성원의 통합 채널이 되어야 한다. 종교나 정치에 편향적이거나 서울권 및 지방출신에 대한 고정관념, 학교에 대한 편견, 여성 및 남성 혐오 등, 우리 사회의 흔한 갈등 속에서 어느 한쪽 편을 강하게 선호하는 것은 위험하다. 개인적 이유로 선호하는 것이야 상관없다 해도 다양한 사람들과 다양한 프로젝트를 수행하는데 반드시 걸림돌이 된다. 자기도 모르게 편협한 네트워크를 가지게 되고 듣고 싶은 말만 골라서 듣게 된다. 그렇게 되면 아무리 사업이 달라도 똑같은 글과 비슷한 그림만 만들게 된다. 물론 오래 호흡을 맞춰온 구성원들과 효율적으로 가장 최고의 퀄리티를 낼 수 있기 때문에 같은 멤버를 고집하기도 한다. 하지만 기획자는 언제든 그 팀을 뒤로하고 새로운 팀을 꾸릴 준비가 되어 있어야 하고, 타의에 의해 전혀 다른 팀으로 가더라도 똑같은 수준으로 적응할 탄력성이 충분해야 한다.

박근혜 대통령의 재임시절, 박정희 관련 기념관을 맡게 되었다. 개인적으로 호불호가 강한 정치인의 기념관을 수행할 때는 은연중에 각 부분 담당자들의 정치성향을 알게 된다. 이 정치성향이 강한 사람들은 가끔 프로젝트를 거절하거나 꺼리기도 한다. 기획자에게는 아주 안 좋은 자세다. 다른 생각이 들기 전에 나는 관련 서점으로 달려가 박정희에 관한 책을 열 권 정도 샀다. 그리고 그의 인생을 이해해 보려고 일주일 동안 그 책들에 빠져서 살았다. 박정희 개인에 관한 기념관이었기에 나는 외부로 알려진 그의 업적보다 우리가 알지 못하는 내면에 집중해 <진면목>이라는 주제어를 떠올리고 스토리를 구성했다. 진면목眞面目이란 참된 진(眞), 얼굴 면(面), 눈 목(目), 즉, '본디부터 지니고 있는 그대로의 상태'를 의미한다. 중국 송나라 제일의 시인으로 꼽혔던 소동파가 여산을 보고 진면목이라는 성어를 남겼다. 우리가 어떤 대상의 참모습을 보려면 그 속에서는 구별이 없으니 밖으로 나왔을 때라야 가능하다는 뜻이다. 소동파의 시는 '누구나 알지만 아무도 모른다'는 말처럼 박정희 역시 누구나 알고 있지만 그의 진면목은 쉽게 접할 수 없었기에 나는 박정희의 진면목을 만나보는 전시주제로 그의 본성과 열정, 믿음을 펼쳐 보이겠다고 하였다. 하지만 아쉽게도 2등으로 낙선하여 쓰라린 추억의 프로젝트로 남았다.

몇 년 후 같은 프로젝트로 당선된 작품에 참여한 친구를 만났다. 그 친구로부터 뜻밖의 소식을 들었다. 당시 당선되고 설계를 시작하려는 시점에 갑자기 담당자가 전시주제를 <진면목>으로 바꾸라고 요청했다는 것이다. 이유인즉, 비록 2등 업체였지만 우리는 주제만큼은 <진면목>이 당신들이 제시한 주제보다 더 적절하다 생각하고 사람들에게도 공감을 불러일으킬 것이라고 말이다. 결국 주제를 바꾸어 스토리도 바꾸었지만 자신들도 당선된 주제가 마음에 안 들어 그렇게 동의했다고 한다. 작업에 참여한 사람들에게 틀을 바꾸라고 하는 것은 굉장히 큰 스트레스 이다.

그러나 진정성이 담긴 주제는 작업자들 사이에서도 인정을 받고 결국 공감을 이끌어내는구나 싶어, 내심 기뻤던 적이 있다. 조금 더 확대하자면 나의 개인적인 정치성향을 버리고 프로젝트의 성공만을 위해 여태껏 알고 있었던 내용을 모조리 버렸기에 어쩌면 마음에서 우러나오는 텍스트들을 쏟아 낼 수 있었다고 생각한다.

< 박정희대통령 역사자료관 전시주제 >

개념적인 가치뿐만이 아니라 사람들에 대해서도 늘 열려 있어야 한다. 다양한 성향의 사람들이 나라는 인간을 통과하여 물 흐르듯 프로젝트가 진행이 될 수 있도록 말이다. 이른바 심리스 프로세스에 핵심은 바로 기획자의 융통성에 있다. 바로 일을 시작할 수 있는 순발력과 끝까지 버티는 지구력을 동시에 가져야 한다. 개인적이다 못해 자기만 아는 팀원도, 오지랖이 넓어 사사건건 참견하는 팀원도 다 수용할 수 있어야 한다. 기획자가 가장 경계해야 할 성향은 양극단으로 치닫는, 끝을 보고야 마는 성격이다. 우유부단하여 좋은 것을 결정하지 못하는 성격도 치명적이다. 완벽주의 성향이 강해 자기가 모든 걸 다 하겠다는 태도도

바람직하지 못하다. 그래서 기획 분야에 오래 종사한 사람들을 보면 무슨 도를 닦은 사람처럼 모든 것에 통달하고 초연해 보이기도 한다.

리더로서 기획자는 해당 분야의 인재가 가진 역량의 크기를 정확히 알고 장점을 최대로 이끌어내야 한다. 각 분야별 구성원이 업무를 시작하고 마무리하는 방식도, 속도도, 조금씩 다르다. 프로젝트 기간을 세 부분으로 나눈다고 했을 때 처음에 속도가 빠른 친구, 중간단계에서 남들 하는 만큼만 하는 친구, 마지막에 몰아서 하는 친구같이 특별한 경향성을 가지는 친구는 다음 프로젝트도 그렇게 임한다. 전시 제안서는 기획, 그래픽, 3D, CAD, 편집자들이 합을 맞추며 하나의 안을 만들어 내는 고도의 전문화된 작업이다. 그런데 때로는 기획이, 때로는 3D 가, 때로는 편집이 속을 썩여 결과물의 퀄리티를 방해할 때가 있다. 일부러 그런 것은 아니겠지만 하다 보면 꼭 쳐지는 사람이 생긴다. 경력이 많은 디자이너도 항상 근사한 디자인을 하는 것은 아니다. 이전의 프로젝트에서는 분명 세련된 디자인을 도출했는데, 이번에는 이상하게 진부할 수도 있다. 기본적인 레벨의 범위 안에서 퀄리티는 항상성을 가지기가 너무 어렵다.

우리가 김밥 집을 간다고 생각해 보자. 주인은 분명 많은 메뉴 중에 김밥이 자신 있거나 그가 판매하기에 김밥이 다른 메뉴보다 좋은 점이 있기에 김밥장사를 선택했을 것이다. 그런데 김밥이 맛이 없는 김밥집도 수두룩하다는 것이다. 신기한 것은 그럼에도 손님들이 간다는 것이다. 김밥을 맛없게 말고 있는데 그래도 김밥은 팔아야 하고, 또 그걸 먹으러

오는 사람도 있다는 점. 세상은 항상 최고와 최선, 최대의 결과물만이 존재하는 것은 아니다. 기획자는 때로 맛없는 김밥이 탄생할 때, 그렇더라도 손님이 맛있게 먹어줄 방법을 끝까지 찾아야 하는 사람이다.

내가 겪어 본 디자이너들은 분야를 막론하고 한번 앉으면 잘 일어나지 않는다. 작업을 마치고 밥을 먹거나 작은 아이템이라도 하나의 파일이 완성되어야 커피를 사러 간다. 디자인 작업은 오후 네 시 너머 다섯 시가 과업의 피크 시간이다. 집중력이 최대이며 2 시 이후부터 가동된 구간 속도도 최고다. 당신이 만약 그 팀의 리더라면 억지로라도 나갈 일을 만들어 사무실을 벗어나 보시는 건 어떤가. 외부에 있으면 전화 걸기도 받기도 쉽다. 갑자기 생각난 척 궁금한 누구에게 전화하기도 쉽고, 받기 곤란한 전화를 거절할 명분도 생긴다.

기획자 역시 집중력이 중요하고 짧은 시간이라도 몰입해서 결과를 도출해 낼 줄 알아야 한다. 그렇지만 엉덩이가 무거워 한번 앉으면 일어나지 않는 스타일은 위험하다. 앉으면 바로 시작하고 끝나면 바로 일어나야 한다. 나는 요일을 정해놓고 네 시에 나가 해질 무렵 사무실에 들어온다. 개인 운동을 하면서 자리를 비켜준다. 팀원들은 리더가 안 보이는 시간 동안 잠시 숨통이 트일 것이다. 리더도 외부에서는 내부에서 보이지 않던 것들을 깨우칠 때가 있다. 팀원에게 전화할 때 같은 일인데도 더 중요하게 느껴진다. 업체에서 걸려오는 전화를 받을 때도 밖에서 받을 경우,

방어적인 태도보다 긍정적인 태도가 앞선다. 리더가 고정되어 있으면 일이 빨리 끝날 것 같아도 외려 정체되고 답답해진다.

리더는 구성원들의 입장에 공감을 해주어야 한다. 혹시 감기가 걸려 집중력이 떨어진 채 자리에 앉아 있지는 않은지, 엊그제 남자친구와 헤어졌다고 들었는데 밥은 먹고 다니는지, 집에 암에 걸린 어머니를 부양하고 있다고 하는데 야근은 가능한지, 지방이 집이라 혼자 자취하는 친구는 계약기간 만료로 다음 거주지를 정하였는지, 우리가 인간이기 때문에 공동 작업을 할 때 개인적인 변수는 어쩔 수 없이 전체에 영향을 미치는 변수가 되기도 한다. 하지만 이러한 팀원들의 물리적인 환경과 심리적인 성향을 알고 있다면 왜 이런 결과가 나왔는지 도무지 이해가 가지 않을 때, 비상시 상황에서 유연한 대처가 가능해진다.

우연한 실마리, 그 실마리의 종결은 외부에 나갔을 때 비로소 완성된다.

리더가 사무실로 복귀하면 팀원들은 느슨해졌던 긴장감을 다시 한번 조이게 된다. 리더가 하루 종일 사무실에 붙어 있는 다고 일이 순조롭게 진행되는 것은 아니다. 일은 사람이 아니라 시간이 끝낸다. 주어진 시간을 알차게 활용하는 것이 곧 기획을 알차게 하는 것이다.

15

# 현장의 추억

< 기획자의 오후_4 >

**내가 하는 기획에는 항상 현장이 있다.**

기획은 책상에서 하지만, 그 기획의 실현은 현장에서 이루어진다. 현장은 공사를 기준으로 했을 때, 아직 건축물도 생기기 전인 대상지 시절이 있고, 한창 설계와 제작이 진행 중일 때가 있고, 모든 공기가 끝나 개관을 한 후로 나누어진다. 기획자가 가장 많이 가는 현장은 아직 이 땅에 건축물이 건립되기 전인 아무것도 없는 나대지가 가장 많다.

아주 오래전에 거제도에서 현장설명회가 있었다. 오후 1 시 설명회에 도착하려면 김포에서 사천까지 비행기를 타고 가서 시외버스를 타야 했다. 그리고 다시 서울에 오려면 설명회가 끝나자마자 시간 맞춰 시외버스를 타고 또 사천공항에서 비행기를 타고 오는 것이다. 이렇게 되면 약속을 하지 않아도 장시간 경쟁사와 같은 비행기, 같은 버스를 탄 채로 목적지를 오가게 된다. 그땐 핸드폰도 없어서 설명회 때 녹음도 하지 못했고, 카메라를 가져가야 잡초만 무성한 대상지라도 촬영해서 흔적을 남길 수 있었다. 고개를 숙이는 사람보다는 창밖을 응시하는 사람이 대부분이었다. 서로 경쟁사임을 의식해서인지 그 긴 시간 한마디도 하지 않은 채 다들 생각에 잠긴다. 포장이 되지 않은 길을 달리던 낡은 버스의 덜컹거리는 효과음, 정류장에서 섰다가 떠날 때 시골 길바닥으로부터 올라오던 흙먼지, 가끔 지팡이를 짚고 보따리를 머리에 얹은 채 올라타시던 한복 입은 할머니, 시간이 지나면 그 모든 것이 추억으로 떠오를 때가 있다. 돌아보면 박물관을 건립하기로 한 그 현장을 목격하고 돌아오면서 나는 내가 하고 있는 일에 더욱 애착을 가지게 되었던 것 같다.

한 번은 인천의 바닷가 근처에 해양박물관이 생긴다 하여 어느 추운 겨울날 다 같이 현장을 다녀온 적이 있다. 언덕 위에 위치한 현장은 그야말로 아무것도 없는, 그래서 아무런 의미도 없어 보이고, 마침내 아무도 찾아올 것 같지 않은 거친 땅바닥에 불과했다. 아직 계획되지 않은 대상지는 참 허탈하기 짝이 없다. 하지만 거기 서서 앞으로 이 박물관은 어떻게 될 것이고, 또 어떠해야 하고, 그러기 위해서 우리는 무엇을 해야 하고, 말하다 보면 그러고 있는 나와 동료들이 무슨 역사적인 순간에 서있는 것 같고, 그 순간에 동참한 사람들이 중요해 보이기도 한다. 나는 그때 매일매일 자고 나면 일이 산더미 같이 쏟아지던 대리급의 시절이었기에 바빠 죽겠는데 굳이 인천까지 사람들을 이끌고 행차를 하던 그 임원을 이해할 수 없었다. 날씨도 추운데 그는 지금이 제철이니 겨울 석화, 굴 구이를 먹고 가자 제안했고 부하직원인 남자들은 신이 나서 찬성했다. 유일한 여자였던 나는 빨리 회사로 돌아가고 싶었다. 오늘 끝내려 했던 일이 밀릴 것 같아 그들의 처사가 매우 반갑지 않았다.

그날을 기억하는 이유는 내가 태어나서 처음으로 생굴을 먹은 날이기 때문이다. 그것도 바닷바람을 쐬면서 선 채로 추위에 떨면서 말이다. 그렇게 드럼통 장작불에 굴을 구워서 초장에 찍어 먹고 떠들고 나니 어느덧 해는 어두워졌고 회사로 돌아가는 길은 막힐 것이 뻔했다. 그제

서야 나는 이 사람들은 애초부터 회사로 복귀할 생각이 없었음을 깨닫게 되었다. 하지만 싫다고 못 먹는다고 손을 내젓던 내게 끝까지 입을 벌려보라 기가 막힌 맛이 다를 강조하며 굴을 먹이고자 했던 사람들의 모습과 웃음소리, 차갑지만 아주 시원하고 하나도 비리지 않았던 물컹한 굴맛, 그 장면들은 소중한 추억의 한 장면으로 남게 되었다. 살면서 먹어본 굴 중에 그날의 굴보다 맛있었던 기억은 없다.

현장답사가 내게 추억으로 남았기 때문인지 나는 자주 직원들을 데리고 아무것도 없는 현장에 가곤 했다. 사실 현장을 가고 돌아오는 길에 희한하게도 그 프로젝트를 어떻게 끌고 갈지, 기본방향을 어떻게 설정할지 도란도란 대화를 주고받으면서 마침내 이야기가 정해진다. 의도하지 않았어도 현장을 다녀와 각자 자리로 돌아오면 그렇게 되어 있다. 여러 명이 사진을 찍는 것이기에 돌아와 확인해 보면 내가 놓친 장면을 꼭 누군가는 담아 놓고 왔다.

“여기는 나들이 가다가 들리기 딱 좋네요.”

어느 봄날 젊은 친구들과 함께 춘천에 가게 되었다. 아침에 만나 서둘렀지만 도착해서 보니 햇살이 따가운 오후였다. 알려졌듯이 춘천 가는 길은 도로와 풍경들이 참 예쁘다. 막 서른에 접어들기 시작한 이 친구들은 갑자기 여자 친구 이야기를 하기 시작했다. 당시 그들은 일에 치어 찌들어 있다고 할 수 있었다. 별로 친한 관계도 아니었는데 어쩌다 보니 나는 그들의 연애와 결혼에 대해 컨설팅을 하고 있었다. 박물관 현장답사를 마치고 나니 배도 출출해 춘천 닭갈비를 먹었다. 마침 그 식당 앞에 소양강이 훤히 보이는 카페가 있었는데 우리는 누가 먼저랄 것도 없이 강이 보이는 가장 좋은 자리에 앉아 따스한 봄 햇살을 만끽하고 있었다. 당시 화두는 결혼을 하는 것이 좋은가, 하면 무엇이 좋은가, 언제 하는 것이 적당한가 정도였던 것으로 기억한다. 특별한 지식이 없이도 나는 모든 걸 경험해 보았기에 그저 내 소신대로 이야기를 했는데 그들은 그때 그 시간이 참 좋았다고 했다. 같은 장소를 반드시 여자 친구와 다시 오겠다고 약속까지 했으며 실제로 그렇게 했다고 들었다.

그날의 답사로 박물관 기획전시의 주제는 <나드리: NADRI>로 정해졌다. 자칫 가벼워 보일까 봐 잠시 다녀오는 나드리를 기본방향의 서두에 두고 하부방향을 제시하였다.

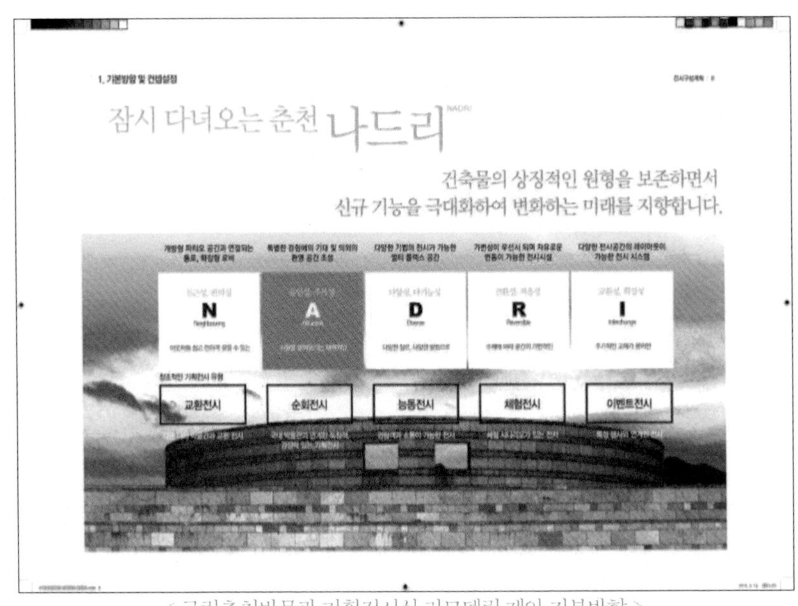


< 국립춘천박물관 기획전시실 리모델링 제안 기본방향 >

그 후로도 나는 사무실에 하루 종일 앉아서 컴퓨터 작업만 하는 친구들과 부러 일정을 만들어 지방의 현장에 다녀오곤 했다. 혼자서 가기에는 어디건 너무 멀고 힘들고 재미없는 것이 바로 현장이다. 나는 직접 내 차로 운전해서 사람들을 태우고 간다. 한 번은 초여름에 고추로 유명한 청양군에 가게 되었는데 주변 환경을 탐방한다고 호수와 함께 출렁다리가 있는 관광지를 간 적이 있다. 울창하게 우거진 숲과 나무들이 거울처럼 호수에 비쳐 그야말로 장관을 이루고 있었다. 참 신기한 게 프로젝트의 성공과 상관없이 목적지나 가는 길의 풍경이 그림 같으면 같이 동행했던 사람들이 좋았던 기억으로 소환된다. 그런 식으로 가을에는 단풍으로

뒤덮인 무주의 체육공원에, 봄에는 벚꽃이 휘날리는 경주의 테마파크에, 여름에는 청춘으로 들끓는 해운대 바닷가에 현장방문을 하곤 했다. 달리 시간을 내어 가기 쉽지 않은 직장인들이 답사를 핑계 삼아 놀러 가는 것이라 폄하해도 좋다. 그런 소릴 듣지 않기 위해서 다녀와 더 열심히 최선을 다했던 시간들을 기억한다.

고속도로 휴게소에서 간식도 많이 사고 일찍 일을 마치고 서울로 올라오면서 경치 좋은 카페도 들린다. 자연스레 각자 자신들이 현재 하고 있는 고민들을 하나씩 둘씩 털어놓게 되는데 꼭 해답을 주지 않고 그냥 들어주는 것만으로도, 그 정도만으로도 직장인들은 서로 위로를 받는 것 같다. 누군가가 내게 고민을 털어놓는 것 자체가 나는 정말 고맙다. 내 젊은 시절을 돌아보면 저 사람에겐 이야기해봤자 답은커녕 아무것도 얻을 게 없다고 판단하여 아예 말을 꺼내지도 않았던 어른들이 많았기 때문이다. 시간이 한참 지나 지금처럼 늦은 오후를 떠올리면 현장이라는 명분으로 대화의 장을 만들었던 추억의 시간들이 너무나 소중하게 느껴진다. 결국 일은 사람이 하는 것이고 그러다가도 사람만이 사람이 힘든 것에 공감을 할 수 있다.

# 16

# 기획자의 메모리 노트 3 :

## 못 가본 길을 언제까지 그리워만 할 것인가

## 다재다능의 불운

기획이라는 단어의 사전적 의미는 '어떤 대상에 대해 그 대상의 변화를 가져올 목적을 확인하고, 그 목적을 성취하는 데에 가장 적합한 행동을 설계하는 것'을 뜻한다. 행정이나 조직 관리에서의 기획은 원하는 목적에 적합한 행동을 설계한다는 의미고, 방송, 영화, 게임 등의 콘텐츠 제작에서 기획은 새로운 프로그램을 만드는 일일 것이다. 어떤 분야든 '일을 꾀하여 계획을 한다'는 점에서 기획자는 남들보다 두뇌회전이 빠르고 이 생각, 저 생각을 한 데로 모아 전혀 다른 생각을 만들어 낼 줄 아는 창의성을 타고나야 한다. 꾀하긴 하되 늘 새로워야 한다는 전제가 있다.

그래서일까.

이렇게 남들이 시키지 않아도 무언가 새로운 일을 잘 도모하고 그 계획을 짱짱하게 세워내는 사람들의 특징은 재주가 많다는 것이다. 그래서 한 가지 일, 한 가지 직업만 가지고 살지 않으며, 그러다 보니 시행착오가 많고, 크게 성공하는 사람들이 별로 없다. 어렸을 때 내가 가장 많이 들었던 칭찬은 팔방미인이었다. 특별히 배우지 않았지만 늘 무언가 배우는 친구들보다 더 잘했다. 피아노, 미술, 체육, 무용, 서예 등 예체능과목도 항상 두각을 나타냈고, 대회가 있으면 꼭 상을 탔다. 심지어는 학년이 바뀐 학기 초 실시하는 환경미화상도 내가 주도하면 언제나 1 등이었다. 한 번은 학교에서 통일 관련 표어 대회를 했는데 한 스무 개를 미리 써놓고 하나에

오백 원 씩 팔았던 기억도 있다. 매년 4 월 21 일 과학의 날 포스터와 독후감대회는 1 등을 놓친 적이 없다. 지금 돌아보면 해당 분야에 소질을 타고났다기보다는 주어진 과제를 전략적으로 분석하고 평가를 잘 받는 결과물을 도출해 내는 재능이 있었던 것 같다.

그래서였을까.

이십 대 때 나는 광고기획, 영화기획, 이벤트 기획, 전시기획을 두루두루 하게 되었다. 서로 인접분야이면서 기획의 과정에서 유사한 점이 많아 분야를 넘나들면서 기획자로서 잔뼈가 굵어진 경우이다. 하지만 무수히도 다른 직업으로 전환할까 고민하고 지금 하고 있는 일에서 끊임없이 무언가 다른 재미를 찾아보려고 안간힘을 썼던 것 같다. 그 과정에서 드라마작가가 되어 보겠다고 아카데미를 접수했고, 신춘문예 당선을 목표로 소설공부도 했다. 직접 고객을 만나야 진정한 마케팅을 알게 될까 싶어 두 번의 자영업 진출도 과감히 실행한 바가 있다.

동네 단골 옷가게를 인수받아 직접 동대문에서 사입을 하고 쇼핑몰도 만들고 스스로 피팅 모델이 되어 2 년 정도 운영을 했다. 머리보다는 몸을 쓰는 일을 하면서 느낀 점이 있다. 아무리 진상인 손님도 진정성은 전달이 된다는 것이다. 매장을 오픈 한 첫날, 이전에 운영하던 친구에게서 구입한 스웨터를 환불받으러 온 손님이 있었다. 열 시에 오픈을 했는데 첫 손님이었다. 니트류는 한번 입으면 늘어지기 때문에 교환 및 환불이 불가능한 상품에 속한다. 그런데 자신의 아이한테 맞지가 않고, 아직 겨울도 끝난 것 같지 않으므로 빨리 다시 팔라고 아침부터 왔다고 논리를 펼치셨다. 기분이 좋지는 않았지만 환불을 해드렸다. 그런데 손님이 가고 나서 옷을 자세히 보니 목 주변에 라면 국물 같은 자국이 묻어 있었고, 누군가 입었던 흔적이 역력했다. 손님은 내게 거짓말을 한 것이다. 나중에 다른 단골손님들이 그 손님은 대표적 환불손님이고 진상 중에 진상이니 조심하라고 전해주었다.

환불손님은 매장이 위치한 건물 꼭대기의 에어로빅 피트니스의 회원이었는데 우르르 같은 회원들을 몰고 다니는 분이었다. 그날 이후 항상 아침에 운동을 끝내고 매장을 들리셨고, 자신의 늦둥이가 발달장애를 앓고 있어서 예쁜 옷을 입히면 다시 벗어 자신을 속상하게 한다며 늘 걱정을 늘어놓곤 했다. 그 손님의 주된 이슈는 자식걱정이었다. 옷가게는 문 열고 들어오는 손님들마다 자신의 화두가 하나씩 있다. 나는 정성껏 아이가 입을만한 옷을 추천해 드렸다. 얼마든지 교환해 드릴 테니 입혀보고 마음에 들어 하지 않으면 다시 가져오시라고. 이 손님은 내가 매장 운영을 그만두게 된 날까지 쉬지 않고 다른 손님들을 데리고 오셨다. 진심이라는 건 늦어도 전달이 되더라는 것이다.

잠이 오지 않아 한잔 두 잔 와인을 마시다가 와인 바를 차린 적도 있다. 와인공부도 하고 와인을 좋아하는 사람들을 만나기도 했다. 내가 알코올을 좀 더 분해하는 능력만 있었더라도 몇 년은 더 운영했을 텐데, 역시 술을 잘

마시지 못하는 바람에 조그마한 어려움이 닥치면 그걸 극복해 나가기가 정말 싫었다. 와인 바를 그만두면서 배우게 된 것은 두 가지이다. 첫 번째는 업종이라는 것이 역사가 있는 일이라면 반드시 밑바닥부터 그 업을 해온 인력과 그들만의 방법이 있다는 것이다. 옷 장사, 술장사도 마찬가지였다. 그런데 옷장사보다 술장사가 어두운 면이 많기 때문에, 그 업에서 시작해 매장을 개업한 사람이 아니라면 알지 못하는 관행이 구석구석 존재한다는 것이다.

또 하나 추운 겨울의 주방이 너무나 싫었다. 유난히도 추위를 많이 타는 내가 주방의 오븐을 껴안아야 할 정도로 추운 겨울날이 있었다. 어느 날인가 주방문을 열었더니 거짓말 조금 보태어 고양이만 한 쥐가 싱크대 위에 떡하니 앉아 있었다. 나는 얼른 다시 문을 닫고 저 쥐를 해결하지 못하면 이 장사를 이어갈 수 없다는 생각을 했다. 주변에 대걸레를 찾아 문 앞에서 문고릴 잡았지만 나는 끝내 문을 열지 못했다. 바로 두 번째는 어떤 위기나 돌발적인 상황이 발생했을 때 이 일 말고 할 줄 아는 다른 일이 있다면 그것을 극복하려는 의지가 약할 수밖에 없다는 것이다. 궁극에 나 역시 이따위 추위와 쥐를 극복해 가며 고생을 하기보다는 그냥 내가 할 수 있는 다른 일을 하는 게 낫겠다는 생각에 와인 바도 접었다.

옷가게나 와인가게나 오래 하지는 못했지만 대신 무엇과도 바꿀 수 없는 소중하고 생생한 경험을 얻었다. 내 인생에서 하지 않아도 될 고생을 돈과 시간을 들여 차곡차곡 쌓아둔 느낌이랄까. 두 번의 자영업을 통해 책상에 앉아서 문자만 쓰고 있었더라면 절대 알 수 없는 현장공부를 처절하게 마쳤다. 두 번의 자영업을 경험 삼아 스타트업 창업에도 도전했다.

다시 돌아와 책상 앞에 앉았을 때 못할 일이나 상대 못할 사람은 없어 보였다.

한번 가보라는 것이다. 그렇게 망설이지 말고 일단 해보라는 것이다. 우아한 콘셉트의 의류매장 주인이 평생소원이라면 말로만 부럽다 하지 말고 내가 자주 가는 옷가게 사장님부터 만나볼 일이다. 나는 사입을 배우려 사입삼촌의 동선에 따라 동대문을 따라다녔고, 도매 사장님과 친하게 지내며 동대문 시장의 메커니즘을 배웠다. 쇼핑몰을 오픈해 대박이 나는 아이템의 판매 사이클과 마케팅 방법을 배웠다. 맨땅에 헤딩한다는 심정으로 동네에 주류와 식자재를 공급하는 영업맨을 소개받아 종업원을 구하고 장사하는 법도 배웠다. 정말 하고 싶으면 외적으로 드러나는 결과만 부러워하지 말고 직접 만나고 뛰어들어 보라는 것이다. 내 몸으로 내 손으로 업을 만지고 익혀야 한다. 누군가를 시켜서 하는 일은 내 일이 되지 못하고 그렇기에 내가 하고 싶었던 그 희망과 욕구를 절대 채워줄 수가 없다. 막상 해보면 결코 우아하기 만한 옷가게 사장님이 아니고 멋지기 만한 와인바 사장님도 아니라는 걸 알게 된다. 그렇게 찾고, 만나고, 열고, 들어가고, 스스로 닫아야 못 가본 길에 대한 후회가 없다. 남들이 뭐라 하든 내가 하고 싶은 일을 해보았다는 후련함이 생겨야 미련 없이 내가 해야 할 일을 더욱 분명히 깨닫게 되는 계기가 된다.

17

# 이제 그만 용서합시다

< 기획자의 저녁_1 >

**주변에 능력보다 성공한 것으로 보이는 친구들이 있다.**

분명 학창 시절엔 무엇으로 봐도 내가 더 잘 나갔는데 말이다. 처음엔 한 계단 정도로 보이던 격차가 점점 더 벌어지더니 잡지나 신문, TV 같은 대중매체에도 소개되고 결국 유명인이 되어 있는 경우도 있다. 그래도 친구라고 페이스 북을 로긴 할 때마다 알 수도 있는 사람으로 소개되어 어느 날 접속해 보면 그 친구의 친구는 이미 5 천 명이라고 뜬다. 친구신청을 해볼까 했던 마음은 알 수 없는 상처로 번지고 못난 마음에 같은 이름을 네이버나 구글에 다시 쳐본다. 그 친구가 쓴 논문제목이나 개인정보를 알아내어 다시 그 정보로 인터넷을 뒤지고 있는 나 자신을 발견한다. 그러다가 대체 내가 무엇을, 어떤 스토리를 찾고 있는 건지 애초의 목적을 문득 잃어버리곤 한다.

혹시 내가 찾고 있었던 이야기는 그 친구의 실패나 좌절에 대한 정보는 아니었을까. 그 친구의 성형하기 전 모습을 잘 알고 있는데 잘 뒤지면 어디서 같이 찍은 사진 한 장정도  나오지는 않을까. 현재의 남편이 알지 못하는 그 친구의 복잡했던 연애사도 알고 있는데 그래서 나는 만나기 싫을까. 묘하고 착잡한 마음으로 친구의 기사를 바라보던 그날, 나는 왜 친구의 성취를 기뻐하지 못하고 있는 것인가.

기획자는 저녁이 있는 삶을 많이도 기획하는데 정작 본인들은 저녁을 여유 있게 보내고 있는지 묻고 싶다. 몇몇 외향적인 사람들은 취미생활도 즐기고 문학, 음악, 미술 같은 동호회 성격의 커뮤니티를 만들기도 하지만 여간해선 유지하는 경우를 못 봤다. 싫증을 잘 내기 때문이다. 그렇다고 술이나 담배, 도박 같은 유흥에 잘 빠지는 것도 아니다. 손을 대긴 해도 어떤 것인지 알고 나면 금방 손절하며 어느 선을 지키는 쪽이다. 알기 전까지 궁금해서 그렇지 알고 나면 흥미를 잃는 것이 기획자이기 때문이다. 나 역시 저녁시간에 무엇보다도 야근을 하던 시간이 압도적으로 많았기 때문에 사실 아침, 점심, 오후, 저녁 중 일하지 않는 저녁시간을 의미 있게 보낼 수 있는 방법을 많이 알고 있지 못하다. 이 꼴 저 꼴 보기 싫어 그냥 일을 하면서 저녁을 보낸 시간이 더 많다. 일을 하면 외려 스트레스가 풀린다는 사람이 있는데 그건 일에 집중하면서 스트레스를 잊어버려서 그렇게 느낀 것이다. 그렇게 되면 정작 시간이 나도 휴식하거나 충전하기 어려운 습관이 생겨버린다. 그래서 내가 추천하는 건 나만이 아는 그 친구를 이제는 용서하는 시간을 가지라는 것이다.

일찍 들어와 두어 시간 아무 방해도 받지 않을 시간이 주어졌다면 그땐 아주 근사한 글라스에 진한 와인 한잔을 권하고 싶다. 겨울과 봄이라면 딸기, 여름이라면 수박, 가을이면 포도와 같은 과일 조금, 쓰고 텁텁하기만 하면 속도 쓰리기 때문이다. 까망베르나 에멘탈 치즈 조금, 그리고 동전크기의 야채크래커, 이는 가벼운 스낵이 있어야 청승맞지 않기 때문이다. 이렇게 접시에 세팅하고 거실에 앉는다.

마음을 가라앉히고 유튜브에서 그 친구와 같이 지냈던 시절에 유행했던 가요나 팝송을 찾아 반복해 재생해 놓는다. 추억소환으로 이제 그 친구를 용서할 준비는 끝났다. 어느 노래 가사에 '너를 용서 않으니 내가 괴로워 안 되겠다. 나의 용서는 너를 잊는 것'이라는 구절도 있지 않은가. 묵직한 와인 한 모금이 목구멍으로 넘어갈 때 나는, 나에게 아무 잘못도 하지 않았지만 먼저 성공한 그 친구를 기꺼이 용서해 주기로 발표한다. 두번째 모금이 넘어갈 때 언젠가는 나도 친구가 나를 자랑스러워할 기회를 반드시 주겠노라 다짐한다.

좋은 일이 있을 때 기뻐하고, 나쁜 일이 있을 때 분노하거나 슬퍼하는 것을 주저해서는 안된다. 감정표현을 하는 것이 마치 세상에 지는 것 같아 아무렇지 않은 척, 별다른 느낌이 없는 척, 그런 태도가 평정심을 유지하는 것이라 여기는 사람들이 많다. 그렇게 자기감정을 속이고, 남들 앞에 자주 서다 보면 고통과 자극에 솔직해지지 않고 삐뚤어지기 쉽다. 괜한 시기심과 열등감으로 상대의 성취를 축하해주지 못하고 살짝 폄하하거나 냉정한 평가를 하기 쉽다. 주변에 만나면 상대의 단점부터 찾아내고 그 자체에 기뻐하는 사람들이 얼마나 많은가.

자기감정에 솔직한 사람일수록 자신에게 다가오는 희로애락을 온몸으로 통과시키고 그 순간들의 결과로 비로소 한 뼘 더 성장할 수 있는 것이다. 만약 내가 괜찮은 사람인지 알아보고 싶다면 지금 당장 성공한 친구의 소식을 찾아보라. 예전에 나와 어떤 관계였든 그 친구의 성공을 미소

지으며 진심으로 기뻐해줄 수 있다면 나는 썩 괜찮은 사람일 것이다. 아직은 내가 그런 수준까지 도달하지 못했다면 지금이라도 질투와 시기, 혹은 쓸데없는 자기 연민을 털고 일어나는 방법으로 용서하는 저녁을 보내시라. 내 감정을 고스란히 지켜보고 솜털 하나하나까지 섬세하게 느껴보시라.

어느 겨울 저녁, 기획자의 거실엔 차디찬 눈물이 아닌 따스한 미소가 가득한 그날을 만날 수 있을 것이다.

18

# 처음 고백

< 기획자의 저녁_2 >

**오늘 만난 불특정 다수의 인물, 사업과 관련이 없는 비관계자에게 내가 구상한 기획안을 설명해 보라.**

기획자는 자신이 공들여 만든 구상안을 짧은 시간 안에 설명하기를 가장 어려워 한다. 기획자가 아니어도 핵심을 요약해서 누군가를 설득하는 건 쉬운 일이 아니다. 어떨 땐 기획당사자가 아닌 제삼자가 훨씬 더 전달을 잘할 때도 있다. 당사자는 너무 많은 정보를 갖고 있기에 어느 하나 중요하지 않은 것이 없기 때문이다. 마치 오랜 시간 헤어져 갑자기 만나면 너무나 할 말이 많아 아무 말도 하지 못하는 이치와도 같다. 대체 나는 한 달 이상 공부했는데 그걸 어찌 단 몇 줄로 요약하라는 말인가 싶다. 그래서 처음엔 대부분 서론과 배경 설명하다가 시간을 다 보내버린다. 그리고 이렇게 깊은 뜻을 나만큼 공부하지 않은 사람이 어찌 알겠나 싶어 공감 못하는 상대의 수준을 탓하곤 한다. 그러면 화를 내게 되거나 누군가와 사이가 틀어지게 된다. 신입시절에 임원들 앞에서 구상안을 설명하다가 맨날 그래서 결론이 뭐냐는 말을 한두 번 들은 게 아니다.

또 기획자는 자신이 말하고자 하는 순서가 확연히 있는데, 누군가 치고 들어와 말을 자르거나 다른 이야기로 화제가 돌아갈 경우, 본인 의도대로 이야기가 전개되지 않음에 무척 스트레스를 받는다. 이야기를 듣는 사람 입장에서는 그로 인해 무슨 생각이 떠오르기 때문인데, 주로 윗사람이 끝까지 듣지 않고 말을 툭툭 자르거나, 자기 하고 싶은 질문을 두서없이

해버리면 내가 전하고자 하는 결론까지 가기도 전에 하다만 보고가 되기 쉽다.

"제가 한 번만 전체 설명을 드릴 텐데요. 길지 않으니 끝까지 들어주시고 질문해 주시면 좋겠어요."

나는 이렇게 미리 말하고 프레젠테이션을 시작한다. 이 말은 꽤 효과가 있어 내 순서대로 이야기를 진행할 수 있는 배경이 된다. 사실 기획자에게는 기획내용을 최대한 요약해 설명하라는 그 말이 제일 듣기 싫다. 하지만 기획자는 한 번으로 그 설명을 완벽하게 할 수 있어야 다음 어느 자리 누구에게도 같은 내용을 똑 부러지게 전달할 수 있다. 그 최초의 한번. 그런데 그 처음 고백의 대상이 같이 작업을 한 팀원들이거나 내부 임원, 혹은 협력사, 발주처라면 보다 쉽다. 그들은 기본지식이 있고 귀 기울여 들을 준비가 되어 있기 때문이다. 그렇다면 나는 충분히 전문적인 용어를 써가며 멋있게 설명을 할 여유가 생긴다. 그러나 만약 사전 지식이 없는 오늘 나를 만난 사람이라면 어떤가. 어디서부터 어디까지 어느 눈높이에 맞춰 설명을 할 것인가.

나를 알지 못하는 중학교 2 학년 정도의 지식과 지능을 가진 친구가 내 이야기에 공감했다면 그건 분명 괜찮은 생각이다. 모든 기획안이 마무리된 상태에서는 중학교 2 학년 수준의 상대에게 한번 설명을 해보는 것이 좋다. 어려운 내용일수록 더 좋다. 만약 상대가 이해하기 어려워한다면 조금 더 수준을 낮추어 전달해야 한다. 설명하는 과정에서 전문가가 아닌 일반인의 눈높이를 깨닫게 된다. 나는 아이가 어렸을 때부터 알아듣건 말건 열심히 기획안을 설명하고 보여주고 그랬다. 아직 얼개가 완성되지 않은 아주 초기 단계의 아이디어 정도는 같이 일하는 동료들에게 달려가 출근하자마자 피 튀기는 설명을 하곤 했다. 동료들은 내가 설명을 할 때 눈이 반짝반짝한다고, 타고난 기획자라고 칭찬을 해주기도 했다. 나는 이 최초 설명을 듣는 이를 중요하게 생각하는 편인데, 왜냐하면 내가 맨 처음, 구상한 이야기를 할 때가 가장 열정적이며 최선을 다해 진심을 전달하기 때문이다. 그래서 나는 이들이 좋은 반응을 보일 때 가장 기뻤고, 시큰둥한 반응을 보일 때 너무나 속상하곤 했다.

하지만 사람들은 저녁에 이런 이야기를 하면 아무래도 내 생각만큼 그리 깊게 귀를 쫑긋하고 들어주지 않는다. 그들도 하루를 치열하게 살고 돌아온 시간 아니겠는가. 그래서 더욱 간결하고 핵심만 빠르게 전달해야 하는 것이다. 자신들도 쉬고 싶을 때 공감을 얻어내었다면 그 기획안은 성공적이다.

나는 그렇게 저녁에 여기저기 전화를 걸어 갑자기 훅, 이런 내용이 있는데 어떻게 생각해? 하며 지적인 대화를 이어가자 조르고 사람들을 귀찮게 하곤 했다. 사실 사람이 설득하거나 설득당하기 가장 좋은 시간대는 이른 아침이나 점심을 먹은 직후라고 한다. 아침에 자고 일어나 가장 체력이 좋을 때 누군가에게 정신들여 설명할 수 있고 또 맑은 정신으로 들어줄 수 있다. 그리고 밥 먹고 나서 마음이 좀 여유로울 때 부탁을 들어주기도 쉽다. 점심 식사를 한 후가 돈을 빌려 달라 했을때 성공확률이 높다는 이야기도 있지 않은가. 하지만 그 시간대는 앞서 언급했듯이 나의 집중에 방해되는 소스를 최대한 제거해야 한다.

나는 어쩌면 첫 고백에서는 어떻게든 거절을 당하기 싫어 상대방이 미처 예상하지 못한 시간에 연락을 하는 건 아닐까.

19

# 머리 쓰는데 왜 몸이 아파요?

< 기획자의 저녁_3 >

**사람이 하루 종일 일을 하면서 취하는 자세는 어떤 것이 있는가.**

사무실에서 작업을 한다고 했을 때 우리는 가장 많은 시간을 앉아서 컴퓨터를 보고 있는 것에 할애한다. 그러므로 책상과 의자를 절대 대충 세팅하면 안 된다. 특히, 의자는 일일이 앉아보고 결정해야 한다. 여성들은 오래 앉아 있을 경우 순환장애로 반드시 살이 찐다. 다음은 동선의 이동을 위해 걷거나 서있는 자세일 것이다. 그리고 밖으로 나오게 되면 교통수단을 이용하기 위한 운전자의 자세, 탑승자의 자세가 사실상 전부일 것이다. 생각해 보면 육체노동을 하지 않는 기획자로서 몸을 움직이고 활용하는 행위는 다섯 손가락 안에 꼽을 만큼 적다고 할 수 있다.

그리고 이 행위를 반복하며 기획자는 오늘도 내일도 살아간다. 달리 특별한 자세로 기획하는 사람은 듣지도 보지도 못했다. 그렇다면 기획자로서 몸을 심하게 움직이지도 않는데, 몸을 쓴 게 아니라 머리만 쓴 것 같은데 왜 각종 몸의 부위들은 결국 탈이 나고 병이 생기는 걸까. 물론 사람이 나이 들면 여기저기 노화로 인해 고장 나는 부위가 생기기 마련이다. 내가 말하는 것은, 기획자가 기획하는 일 때문에 몸이 망가지는 현상을 지적하는 것이다.

같은 공간에서 동거 동락했던 동료들 중에 제안서 제출 마지막 날 밤을 새우면서 구토를 하거나 속이 뒤집히거나 아랫배를 움켜쥐었던 직원들을 자주 보았다. 어떤 이는 잠을 쫓는다고 믹스커피만 서른 잔 마시고 응급실에 실려 가기도 했다. 멀쩡히 같이 밥 먹고 돌아와 혼자만 급체를 했다고 병원에 가보니 위궤양이라 진단받은 사람. 꼭 일요일 새벽에 야식 먹고 장염 걸려 월요일 못 나오는 친구. 중요한 시기에 면역력 저하로 독감에 걸리는 친구. 야근을 오래 하다 보면 집중력 저하로 순간적인 위기능력이 상실될 때가 있다. 경미한 교통사고나 길거리에서 잘 넘어지기도 한다. 공황장애나 분노조절 장애 같은 정신과적인 문제도 빈번하다. 물론 이 또한, 우리 직업 가진 사람들에게서만 나타나는 문제는 아니지만 일이 막바지로 치달을 때, 혹은 사람 간의 갈등이 악화되었을 때 같은 스트레스 강도가 높아지는 시점에 꼭 몸의 시스템이 무너지는 경우를 말하는 것이다. 그래서 나는 사후에 스트레스를 조절하거나, 반응 및 관리하는 방법을 찾기 전에 애초에 스트레스에 노출되어도 큰 영향을 받지 않는 상태로 몸을 잘 만들어 놓아야 한다고 생각한다.

결국 우리는 오랜 세월 일에다가 몸을 맞추며 살기 때문에 일정시간이 지나면 몸이 아우성을 치는 것이라고 본다. 무엇이든 '일을 마치고', '일을 끝내면', '일하는 동안에는'과 같은 조건부로 몸에서 보내는 최초 신호를 외면하고 방치하며 살아가기 때문이다. 우리 자신의 몸을 내가 제일 잘 안다고 생각하면 착각이다. 이 몸뚱이 하나를 잘 다스리고 달래고 이끌어야 앉아 있어도 서있어도 괴롭지가 않은 것이다.

언젠가 토크쇼에 나온 연기자 김혜자 님이 공감 가는 이야기를 한 적 있다. 수탉이 온 힘을 다해서 목청껏 운 다음 쓰러지는 경우가 있는데 자신도 연기를 하면 그 수탉처럼 한다고 했다. 배역을 받으면 온 힘을 다 쏟아부어 작품을 하기 때문에 한 작품이 끝나면 그냥 널브러져 있다고 말이다. 연기 말고는 잘하는 게 단 하나도 없다고 한다. 젊었을 땐 나도 한 프로젝트를 죽기 살기로 혼신의 힘을 다하고 마치고 나면 거의 시체놀이 수준으로 며칠을 보내곤 했다. 마치 아이라도 낳은 산모처럼 무방비 상태로 그렇게 정신 줄을 놓고 지냈다. 실제로 제안서를 하나 끝내고 나면 아이를 한 명 낳는 느낌이 들었다. 어떨 땐 죽을힘을 다해 낳은 내 아이를 핏덩이채로 누군가 쏙 데리고 가버리는 것 같았다. 나는 아이 얼굴도 익히지 못했는데 낳자마자 빼앗긴 기분이 들었달까.

그렇게 모질게 데리고 가더니 막상 수주에 실패하거나 협상 부적격이라는 통보라도 받는 날엔 그 아이가 죽어버린 것 같았다. 아니 못된 누가 착하고 예쁜 내 아이를 죽였다고 까지 느껴졌다. 그런 날엔 몸과 마음이 너덜너덜해져 도무지 다음 프로젝트에 임할 자신이 생기지 않았다. 또 아이를 잃을까 봐 겁부터 나는 것이다. 반대로 당선이 되었을 땐 마음껏 기뻐하기보다 앞으로 잘 모르는 누군가 내 아이를 기르면서 망쳐버리면 어떡하나, 그 아이가 낳아준 나를 기억하지 못하면 어쩌나 걱정도 하였다. 그렇게 내가 구상한 기획안과 나 자신을 분리하지 못하고 지나간 과정 속에서 헤어 나오지 못하던 세월이 있었다. 영화배우들이 혼자 오래 살면 전작에서 빠져나오지 못해 다음 작품 하는데 시간이 오래 걸린다는 말을 들었는데 내가 그 꼴이었다. 이러한 대단히 소모적인 패턴이 사라지기 시작한 건 내가 결혼해서 정말 내 아이를 낳고서였다. 하지만 여전히 나의 기획이 나의 아이라는 생각에는 변함이 없다. 다만, 지금은 그 아이에게 지나친 애착이 생길까 봐 그래서 그다음 아이를 가지고 낳는데 방해가 될까 봐 언젠가부터 낳자마자 그 사실을 잊어버리려 노력했고 이제는 괜찮다고 말할 수 있다.

아주 오랜 시간에 걸쳐 괜찮아진 것이니 자랑할 만한 일은 아니다.

인간은 어떠한 사실이나 사람을 잊으려고 노력한다면 절대 잊을 수 없다고 한다. 노력하는 과정에서 잊어야 한다는 사실을 소환해야 하기 때문에 더 분명해지거나 더 기억하게 된다고 한다. 그러니까 무엇을 잊기 위해 술 한잔 해야지, 하는 마음은 잊지 않고 더 기억하겠다는 말과 같다. 그래서 잊으려고 하는 사실을 소환하지 않고 자연스레 옅어지는 방법을 택하는 것이 현명한 대안일 것이다. 이것은 절망의 총량을 줄이기 위해 희망을 가지라는 논리와 비슷하다. 우리 몸은 행동하면서 다짐을 하면 가만히 앉아 생각만 하는 것보다 훨씬 더 효과적이라고 한다. 이때 우리 몸뚱이가 좋아하는 종류의 행위로 평소 보험들 듯이 차곡차곡 마일리지를 쌓아 놓는 것이다.

첫 번째, 나는 요즘 일과 휴식의 경계를 분명히 하는 편이다. 안 할 때는 아무것도 쳐다 도 안 본다. 어정쩡한 곳에서 뭐 좀 하다가, 또 누워 있다가, 다시 노트북을 켜고 그렇게 이도저도 아닌 하루를 보내려고 하지 않는다.

아파서 나갈 수 없는 상황, 해외 특수한 환경 정도의 특별한 변수 없이는 쉬려고 한 시간에 일을 가지고 들어오지 않는다. 한때는 회사에서 작업하다 그 파일을 그대로 복사해 노트북을 가지고 다니면서 휴양지에서도 워라밸을 실현하는 사람처럼, 그렇게 언제 어디서라도 일을 할 수 있는 근사한 디지털 노매드처럼, 싸고 풀고를 반복하기도 했다. 그대로 가져가서 그대로 가져왔으면서도 그래도 다음에 또 일 뭉치 몇 조각 정도는 버리지 못하고 데리고 다녔다. 그런 생활이 전문가이고 프로라는 생각이었다.

하지만 그건 대단한 착각이고, 기만이고, 낭비다. 정신과 의사는 뇌도 쉬어야 하는데 그렇게 쉬는 시간을 주지 않으면 뇌는 계속해서 잠 잘 때도 가동해야 하는 줄 알고 긴장상태를 유지한다고, 경계를 지으라고 단호하게 말했다. 참 어리석게도 나는 열심히 일하는 건 언제나 자신 있는데, 열심히 노는 방법은 잘 알지 못했다. 더 심각한 건 열심히 하지 않는 것, 그것도 어려웠다. 그래서 내가 실천한건 내 몸이 기분 좋아하는 일을 반복하기였다.

특히, 쉴 때 자기만의 충전 법을 가지면 더 좋다. 나의 경우 프로젝트가 하나 끝나면 반드시 머리를 정리한다. 여기서 정리는 헤어염색, 클리닉, 스타일에 관한 정리이다. 그리고 2, 3 주마다 방문해 정기화한다. 미용실에 가서 잡지라도 뒤적거리면 신상품이 보이고, 드나드는 사람들의 관심사도 알 수 있다. 동네의 퇴근 동선에 최적화된 로드샵을 꼭 하나 만들어 놓는다.

어느 비 오는 하루 느닷없이 방문해 신상, 세일할 것 없이 싹쓸이를 하고 온다. 갈 때마다 다소 큰 금액이지만 현금으로 계산하고 슬며시 부탁을 해본다. 직업상 늦게 끝나다 보니 매장에 도착하면 다른 가게들 문 닫고 난 후 일 텐데, 혹시 전화하면 기다려 줄 수 있냐고 물어본다. 매장 주인이라면 무조건 오케이다.

동네에 단골 마사지 샵도 만들어놓고 나와 합이 잘 맞는 원장님을 찾는다. 그리고 화장품은 그 원장이 추천해 주는 것만 사용한다. 건강식품을 아는 지인에게 기간마다 대량 주문하여 그의 실적을 돕는다. 나는 몇 년 전부터 주치의를 두고 한 달에 두세 번 건강관리를 받는다. 자주 가는 병원이다 보니 병원에서 알아서 독감이니, 백신이니 검사와 주사에 대해 관리를 해준다. 병원은 회사 동선에서 가장 가까운 거리에 있다.

나는 이렇게 개인정비에 해당하는 미용, 의상, 건강 등의 분야에 전문가를 만들어놓고 해당 영역은 철저하게 그분들에게 맡긴다. 그리고 충전의 시간이 왔을 때 고민하지 않고 순서대로 방문을 하면서 다시 에너지를 채운다. 내 방법이 정답은 아니겠지만 개인 의료정보를 관리하는 주치의는 꼭 추천하고 싶다. 지위가 높아지면 챙겨야 할 크고 작은 일의 종류가 많아지기 때문에 무엇 하나 새롭게 루틴을 만드는 게 참 쉽지가 않다.

하지만 아들러 심리학에 의하면 감기가 걸려서 학교를 못 가는 것이 아니라, 인간은 학교가 가기 싫어 감기 걸림을 허락한다고 한다. 병원 가는 것이 뭐가 즐겁나 하겠지만 나는 병원을 쉬러 간다는 기분으로 간다. 아프기 전에 미리 준비하는 것이기에 아플 **내야 아플 시간이 오지 않음을 잘 알기 때문이다.**

내 몸을 잘 관리한다는 것은 결국 살아 숨 쉬는 동안 몸의 작동을 원활하게 운영하는 것이다. 내 몸으로 들어오고 나가는 것들을 잘 파악하여 오래 쓸 수 있도록 해야 한다. 하나의 프로젝트를 임하며 나누었던 모든 이야기를 잊고 비우기 위해 실제로 내 몸에 물리적인 자극을 주도록 한다. 몸은 다시 깨워지고 마음은 다시 열릴 것이다. 다시 새로운 프로젝트에 따라 생각을 모으고, 실마리를 찾기 위해 나는 기억을 클리닝 하는 방식으로 내 몸을 운용한다.

20

# 달력에 제일 먼저 표시할 것

< 기획자의 저녁_4 >

디파짓은 영어로 Deposit 인데 착수금, 보증금이란 뜻이다. 주로 외국에서 호텔을 예약할 때 일정금액의 예약금을 지불하는 것을 디파짓이라고 한다. 그러니까 내가 계획한 여행상품에 내가 돈을 미리 지불해 놓자는 것이다. 언뜻 듣기엔 쉬워보이나 막상 일정이나 여행지, 금액등을 미리 예상하여 챙겨둔다는 것이 월급쟁이에겐 너무나 어려운 일이다.

물론 여행 계획은 내가 만든 것이니 안 간다 해도 내게 손해는 없다. 대신 갈 수도 있고 안 갈 수도 있는 것에 굳이 미리 돈을 빼놓는다는 것. 이것은 미래 어느 시점에 갈 여행을 위해 저축을 하는 것과는 다른 개념이다. 내 계획에 대한 신뢰도를 높이는 차원에서 나 자신의 의지를 더 현실화하겠다는 것이다.

그리하여 나는 어느 한가한 저녁 달력을 보며 내년도 여행 스케줄을 그려본다. 이때의 여행은 박물관 벤치마킹이나 해외 신규시설 탐방 목적이 아니다. 일 안 해도 되는, 일 버리고 가는, 일 없는 여행인 것이다. 여행 일자를 미리 정해 놓고 그때는 세상없어도 휘리릭 날아갈 수 있는 사람이 얼마나 되겠는가. 이번 일만 끝나고 가려던 그 생각 때문에 절대로 여행 갈 시간이 생겨지지 않는다. 여행은 다 끝나고 가는 것이 아니라 그냥 정해진 날에 가는 것이다.

그렇게 갔다 와도 일이 무너지거나 사라지거나 내가 업무적인 불구가 되는 일은 발생하지 않는다.

나는 코로나 시기에도 몇 번이나 코를 찔러가며 두바이, 아부다비를 다녀왔고, 미국에 몇 번이나 한 달 이상씩 체류하면서 할 일을 다 했다. 내가 한국을 비운다고 무슨 큰일이 일어나거나 또 그 기간 동안 한국에서처럼 일을 하지 않는다고 해서 내 이력에 어떤 결격사유가 생기는 것도 아니다. 물론, 어느 정도 개인적인 상황이 뒷받침되어야 가능한 플랜이겠지만, 요 몇 년 동안 나는 완전히 생각이 바뀌었다.

**새로운 달력을 받으면 무조건 여행 일정을 정한다.**

여름이나 방학 휴가철엔 모두가 한꺼번에 움직이므로 고개를 절레절레 흔들어 본다. 홈쇼핑 여행상품은 너무 대중적이라 썩 마음에 내키지가 않고. 명절을 끼고 가면 한국에서의 일상이 영향을 받으니 좀 그렇고. 프로젝트는 대체 언제가 정확히 끝나는 시점인지 지금은 알 수가 없고. 이래저래 달력을 아무리 넘겨봤자 여행일정을 미리 잡는다는 건 불가능한 일로 보일 것이다. 하지만 그 기간을 놀러 가는 여행으로 여기지 말고 일 년에 필수적으로 마치고 와야 하는 중대한 점검의 날이라 생각해 보시라. 일단 그 날짜들은 빼고 일을 하게 되고, 거기에 맞추어 일을 끝내게 된다. 쉬는 날을 정해놓고 숙제처럼 쉬어보자는 것이다.

내가 젊었을 때는 일 년 중 여행 일정을 미리 빼놓고 일하는 사람들은 무슨 재벌들이나 부자들만 그럴 수 있을 것이라 여겼다. 하지만 지금은 시절이 달라졌고, 사람들이 달라졌다. 해외가 여의치 않다면 국내도 얼마든지 좋다. 중요한 건 일할 날이 아니라 쉬는 날을 먼저 정하는 데 있다.

물론, 나 역시 그렇게 살지는 못했다.

'평소에 일을 열심히 하다가 여름에 가족들과 여행을 떠난다', 는 이 진부하고, 보편타당해 보이는 문장조차도 부지런히 실천하며 살지는 않았다. 학교를 졸업하고 직장생활 3, 4년 차였을까. 그러니까 앞만 보고 달려가던 그 시기 3 박 4 일의 여름휴가는 거의 부족한 잠을 보충하는 시간으로 채워지곤 했다. 하지만 그날은 달랐다. 아무런 준비 없이 모자하나 달랑 쓰고 드라이브 간 곳은 집에서 멀지 않은 곳에 위치한 남한산성 계곡이었다. 이런데 와선 발을 담가야 제 맛이라고 먼저 시범을 보인 아버지. 그리고 언제 준비했는지 참외랑, 수박도 주섬주섬 꺼내던 엄마가 계셨다. 그날 나는 의도치 않게 아버지의 정강이를 난생처음 보게 되었는데 무릎 위까지 걷은 바지 아래로 드러난 아버진 생각보다 단단했고 활기찼다. 아버진 잠시 젊어진 듯 보이기도 했다. 꽤 맑은 계곡 물에 참외랑 수박을 담그시던 손놀림도 기억난다. 그때 나는 계곡물이 얼음물보다 차갑다는 걸 알게 되었다. 졸다가 끌려 나와 머리까지 시원해지던 그 순간은 내 생애 '별 것 아님에도 잊히지 않는' 찰나의 순간으로 남았다. 어디선가 불어오던 바람이 얼굴을 스쳐 지나갔고 손과 발이 서로 재잘거리며 물과 부딪히던 소리를 기억한다. 발은 차갑고 손은 분주했으며 머리는 개운했으나 가슴은 더워지던 그날, 그들, 그리고 나. 그날은 우리 세

식구가 소박한 여행을 떠나 아무 말 없이도 웃기만 한 마지막 기록이 되었다. 그날 이후 우린 어디로 떠나지 못했고 떠났다 해도 아무 걱정 없이 웃을 수 없었다.

부모님과 마지막 여행이 정말 그때였는지 솔직히 잘 기억나지 않는다. 사람의 기억은 살아가면서 자기 식대로 조금씩 조작되고 편집된다. 그때가 정말 마지막이었나 싶어 곰곰이 따져보니 두어 번 더 있었던 거 같긴 한데 기억날 만한 장면이 도저히 떠오르지 않았다. 그러니 그날이 내겐 마지막이라 저장된 내 기억의 여행인 것이다. 부모님과의 여행은 언제나 이번이 마지막일지 모른다는 생각으로 최선을 다해야 했던 것을 그땐 몰랐다.

얼마 전엔 성인이 된 딸 아이와 큰 맘을 먹고 미 서부 4대 캐년 여행을 다녀왔다. 눈 앞에 펼쳐지던 광활한 자연환경은 상대적으로 작기만 해 보인 우리 모녀에게 뜻밖의 연대를 선사했다. 티격태격 서로 의견 차이나 취향, 진로나 미래 같은 여느 모녀의 대화주제를 넘어 우린 결국 엄마와 딸 사이, 그러니까 뗄 수 없는 혈연관계이구나를 새삼 깨닫게 해주었다. 같이 목격한 거대한 광경이 이제껏 살면서 본 적이 없는 그리고 앞으로도 다시 볼 수 없는 처음이자 마지막 순간이었기 때문이었을까.

이처럼 올해는 아빠랑 일본에 가기, 내년엔 엄마랑 미국에 가기, 혼자 유럽 떠돌기, 이런 플랜도 기획자에겐 즐겁고 의미 있는 일이다. 저녁이 있는 삶을 누군가 주장했는데, 저녁에 꼭 무엇을 해야 충만한 하루를 보냈다고 말할 수 있는 건 아니다. 기획자의 저녁은 아무리 쉬고 그만 잊으라 해도 숙명적으로 미래를 그리게 된다. 어제를 기획하는 일은 없다. 사실 그렇게 사는 것이 기획자의 일상일 것이다. 기획을 잘하기 위한 방법이 따로 있다면 얼마나 좋겠는가. 아침엔 몸과 정신을 깨우고, 오전에 풀로 뇌를 가동하고, 맛 좋은 점심을 먹고, 자신 있게 회의를 하고, 차분히 저녁을 정리하는 것이 전부이다. 매 순간이 그다음 순간을 이어 주기 때문에 어느 하나 중요하지 않은 순간이 없다. 이 하루하루가 쌓여 기획을 잘하는 사람이 되는 것 말고 더 좋은 방법은 없다.

나는 오늘도 오후를 지나 저녁으로 접어들고 있는데, 글을 쓰면서 더욱 쉽지 않은 기획의 길을 잘 찾아 여기까지 올 수 있었던 이유는 저녁시간에 수많은 고민을 해왔기 때문인 것 같다. 내일도 계속해야 하는 저녁의 고단함은 반드시 언젠가 내일을 기다리는 설렘으로 바뀌게 된다. 그때라면 아마 일이 끝나서가 아니라, 내일이 기대되기 때문에 저녁이 즐겁지 않을까.

21

# 기획자의 메모리 노트 4 :

## 행복한 기획자로 살기

## 고통이 즐거움으로

혹시 이 글을 읽고 있는 당신이 여성이라면 나는 당신의 기획 일이 당신에게 행복감을 주는 일이길 바란다. 기획자가 된 것이 여성으로서 힘든 일로 여겨지지 않았으면 좋겠다.

기획이라는 일은 업무 프로세스 상 서두에 위치한다. 그리고 마지막까지 챙겨야 한다. 기획자의 업무는 개인 역량에 따라 하기에 달린 일이라 사람에 따라 기획의 범위도 각기 다르다. 어떤 이는 자료조사와 벤치마킹, 분석 위주로만 문서를 작성하면서 당당히 기획자라고 한다. 어떤 기획자는 사업의 발주처를 만나고 새로운 이야기를 만들고 자신들의 안을 설득하는 일까지 마무리 짓는다. 물론 회사의 규모와 일의 특성상 업무의 범위는 다르겠지만 기획자의 개인 역량이 그가 하는 기획의 범주를 결정짓는다고 보아야 할 것이다. 여기서 능력 있는 기획자가 여성이라면 그 사람은 자기 인생에 있어서 희생해야 할 영역이 많을 것이다.

대한민국은 여성으로 살기도, 기획자로 살기도 힘들다. 하여 여성 기획자는 더 많이 공부하고, 더 많이 일하고, 더 많이 성과를 내어야 한다. 그러다 보면 워커홀릭으로 비치거나 독종, 냉혈한, 찔러도 피 한 방울 나오지 않을, 등의 수식어가 따라다닐 수도 있다. 조직에서 주목을 받거나 윗사람들의 총애를 받을 경우 질투와 시기의 대상이 되어 외톨이가 될 수도 있다, 기획자는 어느 분야보다 회의도 많이 하고 여러 사람의 도움이 필요하지만 혼자서 고독을 벗 삼는 직업이다. 혹시 조직에서 왕따를 당하거나 일 잘하는 나에게 비협조적인 구성원들이 있다 싶을지라도 그건 내 탓이 아니다. 그렇다고 독야청청, 유유자적, 혼자만 난척하며 그들을 무시하라는 건 아니다. 기획은 무엇이든 성공해 내었을 때 가장 빛을 발하지만 실패했을 때 책임도 크기 때문에 언제나 그 무게만큼 관심의 대상이 되기 마련이다. 전부이면서 아무것도 아닐 수 있는 양날의 검 같은 직업을 택했기에 소소한 인간관계에서 일희일비할 필요가 없다는 뜻이다. 절대 조직의 인간관계에서 반응형 인간으로 살기보다 관람형 인간으로 살지어다.

**여성은 기획에 참 적합한데, 세상은 여성이 기획하기 가혹하다.**

기획자는 자신의 의견을 관철시키기 위해 필연적으로 상대를 설득시키고, 반대의견이나 비판을 잠재우기 위한 논쟁을 해야 할 때가 많다. 이 과정에서 부딪히게 되는 남성중에는 그저 여성이라는 이유로 호의적이지 않은 구성원들이 반드시 발생한다. 물론 표면적으로는 나름의 논리적인 명분을 내세우겠지만 속으로는 주장이 강한 스타일의 여성을 본능적으로 싫어하는 남성들이 거기에 속한다. 여성들도 같은 여성이 주목을 받는 일을 불편해 하기는 마찬가지다. 여성은 결혼을 해도 눈치를 보고, 결혼을 안 해도 눈치를 받는다. 어떤 후배는 자신이 한 프로젝트를 끝낼 때마다 사방에 적들이 계속 곱절로 증가하는 것 같다고 하소연한다. 그리하여 기획을 하는 일 자체가 행복은커녕, 결과적으로는 힘들고 우울해지는 경우를 많이 보았다. 일이 아니라 사람 때문에 감정적으로 지쳐버리는 것이다. 그러다 보면 경력은 많은데 점점 차가운 사람이 되어 버린다. 이런 경우 머리만 차가우면 될 일을 가슴까지 얼어붙어 어느 누구와도 교류할 수 없는 모난 돌이 되기 십상이다. 날카로운 기획을 하는 것과 날카로운 인간으로 사는 것은 전혀 다른 문제이다.

어떻게든 먼저 실력으로 인정을 받는 일이 중요하다. 성급한 마음에 남의 성취를 가로채거나 몰래 복제하거나 대충 할 버릇을 들이면 실력은 늘지 않는다. 한번 맛본 편리함 때문에 그다음은 절대 수고와 정성을 기울이지 않게 되어 있다. 이만큼 쌓아놓은 실력마저 연기처럼 사라질 것이 불을 보듯 선하다. 여성은 실력자로 평판이 나야 회의 테이블에서 존중받는다. 준비가 완벽하게 되어 있지 않다면 절대 회의를 해서는 안 된다. 회의는 이 사람 저 사람 이야기 다 들어보고 누군가 결정하는 자리가 아니라, 내가 미리 모든 걸 준비해서 전달하고 그것에 동의를 얻는 시간이라 여겨야 한다.

누군가를 논리적으로 공격하기보다 될 수 있으면 끌어안고, 그 사람의 입장과 생각에 공감을 하는 것이 마음 편한 사람들이 있다. 여성으로서 특유의 포용력을 발휘해 누구라도 공감을 해주는 사람이 되기로 마음먹었을 수도 있다. 독일의 철학자 한나 아렌트 Hannah Arendt(1906~1975)는 여성이 자궁이라는 신체기관을 하나 더 가지고 있기 때문에 타자의 고통에 공감하는 능력이 남성보다 우월하다고 하였다.

나 아닌 다른 생명체를 잉태하여 그로 인한 고통을 견디는 유전자가 바로 공감능력을 높이게 했다는 주장이다. 포용하는 기획자의 단점은 전략의 칼끝이 예리하지 않을 수 있다는 점이다. 모두의 의견을 종합한 안은 그다지 매력적이지 못하고 평범한 결과가 도출되기 쉽다. 공감하고 소통하면서 무디어지지 않기란 얼마나 어려운 일인가. 주변에 사람은 좋은데, 성과는 별로인 분들이 떠오를 것이다.

혼자만의 시간을 가지고 진심으로 참여한 다른 이의 생각에 공감을 하는 시간을 가져야 한다. 클라이언트, 회사 임원, 직속 상사, 부하 직원, 협력체 담당자, 자문 교수, 진지하게 그 사람의 입장이 되어보고 찬성, 반대, 우려, 응원, 침묵 등의 다양한 의견에 공감해야 한다. 이 과정을 거침으로써 결과에 따른 스스로에 대한 자책과 원망을 최소화할 수 있다.

답은 진정성에 있다. 진심으로 공감하고, 나의 직관에 따른 판단에 확신을 가져야 한다. 진정성을 공부하고 연출하라는 의미가 아니라 진실한 마음, 정직하고 뜨거운 그 진짜 마음을 가지고 일을 대하라는 뜻이다. 그리고 자신이 선호하는 방향대로 일을 진행하는 것에 즐거움을 느낄 수 있어야 한다. 우리가 어떤 직업을 이야기할 때, 그 직업이 행해야 할 가장 본질적인 업무가 있다. 예를 들어 콜센터 직원이라면 전화를 걸고 받는 행위가 가장 핵심적인 업무이다. 그 본질적인 순간이 괴롭고 싫다면 그 직업은 아무리 열심히 최선을 다한들 절대 즐거움을 주지 못한다. 내가 하고 있는 기획업무 중 반드시 내 손으로 내 머리로 해결해야 하는 과정이 있다면,

그것을 수행하고 있을 때 내가 어떤 기분인지 면밀히 살펴보시라. 자꾸 회피하고 다른 이에게 넘기는 버릇은 없는가. 처음엔 어려웠지만 그 순간의 반복이 모여 실력이 되고 전문성이 쌓여가는 것이다. 그리고 마침내 그 고통의 순간은 나만의 즐거움이 되는 날이 온다.

**일의 행복은 가장 어려운 순간을 통제하는 데 있다.**

일이 좋은데 사람들이 싫다거나, 일은 하고 싶은데 사람들이 어렵다거나, 일은 쉬운데 사람들이 지겹다는 것은 결국 관계에서 받는 스트레스이지 일의 본질적 어려움이 아니다. 사람들이 나를 힘들게 한다고 이것을 일 자체가 어려운 것과 혼동해서는 안 된다. 나 역시도 누군가에게는 참 힘든 사람일지 모른다. 굳이 타인은 지옥이라는 니체의 말을 떠올리지 않더라도 우리 업계만 특별히 못되고 나쁜 사람이 모이는 것은 아니다. 다른 분야도 똑같다. 외모도 경쟁력 있고, 일은 물론이고, 성격도 원만하고 전 직원에게 따뜻하고 친절한, 가끔은 누이처럼 포근하고 또 더러는 여동생처럼 애교까지 부리는 그런 여직원은 애초에 없다.

22

# 새벽이 오는 소리

< 기획자의 나머지 시간_1 >

**지금까지 얼마나 한 밤을 새웠을까.**

회사에서 비공식적 기록으로 19 일을 연속 밤샌 적이 있다. 진부하게 '라테는 말이야'를 강조하려고 하는 건 아니다. 대한민국이 그런 시절이 있었다. 그땐 한 부서에서 다 같이 합숙 비슷하게 먹고 자고, 프로젝트가 끝날 때까지 아침이고 밤이고 그랬던 날들이 있었다. 다들 20 대여서 그랬는지 아님 사회적 분위기가 밤새워서 일하고 또 밤새워서 노는 분위기여서 그랬는지 모르겠는데, 지금 다시 그걸 하라고 하면 과연 할 수 있을까 싶다. 그래도 이렇게 죽도록 일하면 성공하는 내일이 오겠지 하는 막연한 희망, 그것을 우리는 공동체의 비전이라 부르며 누구도 저는 아닙니다, 안됩니다! 하는 구성원이 하나 없었다.

절대, 요즘 시대에 그런 밤새는 문화를 재소환해서 일하자 하고 싶지는 않다. 많은 기술적 영역에서 업무가 디지털로 전환되었고, 물리적인 시간낭비를 얼마든지 줄일 수 있다. 그땐 논문 찾으러 국회도서관에 가는 시절이었다. 지금은 구글에서 실시간 번역으로 앉아서 서로 얼굴 보며 해외 협력사와 소통하는 시절이다. 내가 아쉬운 건 공동체가 한마음으로 가장 강도 높은 최선을 다할 수 있는 순간 집중력의 최대치, 사장이고 말단이고 할 것 없이 인간으로서 사력을 다해 끝까지 최선을 다한 후 그 감동, 말로 다 할 수 없는 동료애 그런 것들이다. 정말 전쟁 치르듯이 우리는 경쟁에 참여했고, 목숨을 걸고 승리를 염원했다. 그리고 이겼을 때 공을 나누고, 졌을 때 아픔도 나누었다.

때는 1997 년 즈음이었던 것 같다. 93 년 대전 엑스포가 끝나고 90 년대 중후반은 우리나라의 국립 박물관들이 본격적으로 건립이 될 시기였다. 당시 제안서들은 대부분 2 백에서 3 백 페이지 분량이었는데 내 앞에 떨어진 과학관 사업의 제안서는 무려 천 페이지나 되었다. 물리, 화학이 싫어서 문과에 지원한 내게 과학관 천 페이지를 작성하라고 하니 앞이 캄캄했다. 물리, 화학, 지구과학, 생물 이렇게 교과목을 나누어 아이템을 발굴하고 각 아이템마다 예산을 뽑아내야 하는데 아무리 페이지를 나누어 봐도 한 과목당 2 백 페이지는 채워야 했다. 급히 각 과목의 선생님들을 불러 급성으로 족집게 과외를 받았다. 첨단의 새로운 아이템들은 대학원생을 불러 도움을 받았다. 그렇게 내용 이해를 완벽히 하고 잊어버리기 전에 바로 디자이너에게 설명하여 그림을 그렸고, 작동 시스템도를 완성해 나갔다. 당시는 손으로 먼저 그리고 CAD 로 넘어가는 방식이었다. 그런데 해도 해도 끝이 없었다. 그리고 나는 생물과 야외 아이템만 맡았었는데 물리와 화학을 담당한 직원들이 너무 느리다고 결국 중간에 나에게 모든 과목이 넘어왔다. 맨날 페이지만 세는 것이 일이었다. A3 천 페이지 높이가 꽤 되기 때문에 나는 원고를 끌어안고 엎드려 잠도 잤다. 내 책상에는 <과학동아>라는 잡지가 항상 30 권 정도 쌓여 있었다.

그렇게 난리를 떨면서 드디어 제출 날이 내일로 다가왔다. 상대 경쟁사는 포기했다는 소식도 들려왔다. 그러건 말건 내 앞에는 천 페이지 날것의 원고가 떡하니 책상 위에서 마무리를 기다리고 있었다. 그런데 그렇게 밤을 새웠는데도 아직 빈 페이지가 수두룩했다. 아이템 하나에 정확한 디자인, 시스템 구성도, 예산까지 함께 있어야 하는데 어떤 건 구성도가 어떤 건 예산이 없는 식이었다. 빠진 것만 세어보니 대략 100 여 장이 훨씬 넘었는데 그때 시각이 새벽 1 시가 넘어가고 있었다. 혹시 제출하지 못하면 어쩌나 싶어 겁이 덜컥 났다. 인쇄소에 원본이 넘어가야 하는 최종 데드라인은 늦어도 아침 8 시였다. 아니 8 시에는 인쇄소에 도착하여 출력이 들어가야 덜 마른 인쇄본이라도 나오고 그래야 영업팀에서 그걸 싣고 시간 안에 제출할 수 있었다.

한 사람이 엑셀에서 예산표를 작성하기 시작했다. 예산은 그림이 나와야 작성을 하므로 가장 마지막에 완성되는 과정이다. 그런데 그림이 없으니 대충 상상하여 작성하는 것이다. 작성이 끝나자마자 다른 사람은 프린터 앞에서 출력된 예산표를 A3 원고에 딱 붙일 수 있도록 축소 복사하여 정확하게 칼로 잘라 놓는다. 이 작은 표를 A3 원고에 티 안 나게 붙이기 위해 큰 보드에다 뒷면이 보이도록 놓고, 3M 접착제를 뿌리고 난 후 원래 자리에 붙인다. 그러고 나서 예산표가 붙여진 A3 원고를 다시 한번 전체 복사한다. 덕지덕지 종이가 붙여진 원고를 인쇄할 수는 없기 때문이다. 아마 이게 무슨 말인지 모르는 사람들도 있을 것이라 예상한다. 지금처럼 제안서 원본이 하나의 파일에 모든 소스들이 얹힌 채로 한 번에 출력이 되지 않았다. 각기 다른 프로그램으로 만든 CAD, 그래픽, 표, 3D 투시도들을 한 화면에 담을 만큼 편집프로그램이 발달하지 않았고, 호환성도

낮았고, 컴퓨터 하드 용량도 그 많은 이미지들을 감당할 수 없었다. 거기다가 천 페이지여서 그림 없는 텍스트만도 너무 방대했다. 한 페이지당 신중을 기해서 집중하여 작업해야 하는 막일였다. 몇몇 중간에 빠진 구성도, 연출도는 도저히 시간이 없어 원본에다 바로 손으로 그려야 했다.

마지막에는 열 명 정도가 늘어서서 마치 가내수공업처럼 출력기에서 복사기로 이동, 축소복사, 복사지 회의테이블로 운반, 칼로 자르기, 보드 잡기, 3M 스프레이 뿌리기, 떼어내어 붙이기, 다시 전체 복사, 취합, 이런 식으로 공정을 쪼개어 모두가 숨도 쉬지 않고 새벽을 넘기며 천 페이지를 완료했다. 아무도 어떤 말을 하지 않고 컨베이어벨트처럼 기계식 작동으로 마침내 완성된 천 페이지. 인쇄소로 달려가야 하는 기획실 직원이 분홍색 보자기로 그것을 쌌다. 야속하게도 비가 추적추적 내리고 있었다. 8 시를 좀 넘긴 시각에 겨드랑이로 움켜잡은 분홍색 보자기가 떠나자 우리는 모두 약속이나 한 듯이 하나둘 자신의 책상에 엎어졌다.

그러나 나는 기획자, 아직 인쇄소에 도착하지 않았고, 인쇄가 종결되지 않았기에 엎어질 수 없었다. 인쇄기를 돌린다는 전화를 받고 그제야 한숨을 내쉬었다. 이제 내 손을 떠난 제안서는 하늘의 운명만을 기다리고 있다. 그렇게 엎어져 있는데 누군가 황급히 계단을 올라오는 소리가 들렸다. 사장님 일 것이다. 그는 열 명이 한 자 세로 쓰러져 있는 방문을 빠르게 열었다. 사장인지 알았지만 나는 도저히 고개가 들려지지 않았다. 그는 불을 끄고 암막커튼을 치고 조용히 문을 닫아주었다.

경쟁사는 제출하지 못했고, 결국 제출한 업체는 우리 하나였다. 그 이후로 지금까지 천 페이지의 입찰은 등장하지 않았다. 그날 밤, 새벽이 오는 소리는 집단 무음이었다. 마치 이어폰은 꼈는데 아무 소리도 들리지 않는 느낌이었달 까. 우리 모두는 각자 동물적인 본능에 의해 이렇게까지 하지 않으면 제출하지 못할 것이라는 예상을 했다. 그리고 각자가 할 수 있는 최선을 다해 단 1 초의 쉼도 없이 하나의 목표를 향해 멈추지 않았다. 가끔 올림픽에서 쇼트트랙이나 양궁, 배구나 축구 같은 단체 팀 들이 금메달을 딸 때 나도 모르게 그날의 감동이 겹쳐진다.

젊은 시절 워낙 강하게 훈련받은 탓인지 아직도 이 나이에 밤을 새울 땐 물러나기 싫은 근성이 살아나곤 한다. 밤 샘 작업에서 가장 체력적으로 힘든 시간대는 5 시이다. 눈이 절로 감기고 정신이 혼미해져서 오탈자도 정확히 찾지 못하는 시점이다. 대세에 지장 없는 건 대충 하고 싶은 시간이기도 하다. 기획자는 이 마무리 시점에 마지막 에너지를 써야 하기 때문에 그때 가장 외로운 사람이다. 최종 취합 자는 모두가 맛이 가 있을 때 끝까지 가장 정신을 차리고 있어야 한다. 기획자의 정신력은 바로 이때 길러지며 이 시점에 한 번 더 힘을 내는 자가 실수 없는 완성을 습관화한다.

물론 요즘은 거의 밤을 새우지 않으며, 어쩌다 밤을 새우게 되더라도 옛날처럼 죽기 살기로 모든 열정을 다해 작업을 하는 분위기는 사라졌다. 돌아보면 내가 20 대 때 들었던 새벽이 오는 소리, 그 무음의 합창들이 결국 훗날에 실력자 소리를 듣는 자양분이 되었던 것 같다.

기획자는 희생을 밥 먹듯이 하며 모두를 환생시키는데 기여하는 사람이다. 그는 무수히 많은 종류의 새벽이 오는 소리를 들어본 적 있는 사람이다. 그중에 하이라이트는 아무 소리도 들리지 않고, 어떤 소리도 내지 않았지만 마침내 아침을 완성하는 무음의 시간일 것이다.

23

# 벤치마킹

< 기획자의 나머지 시간_2 >

일본을 서른 번 정도 간 것 같다. 어느 시기까지 우리에게 미국은 너무 멀고, 유럽은 정서가 달라 가까운 일본만 따라 했다. 자존심상하지만 그땐 일본이 선진국이고 우린 후발주자였으니 만들려고 하는 박물관은 이미 항상 일본에 존재해 있었다. 일본은 미국과 유럽의 장점을 잘 버무려 아기자기한 전시연출을 잘 구사한다. 더구나 내가 이십 대일 땐 인터넷이 전화통신 수준이었고, 박물관마다 홈페이지도 없었다. 무조건 날아가 사진을 찍는 것이 제일 빨랐다.

그런데 회사의 돈으로 해외를 온 것이니 운영비를 아껴 하루에 최소 세 개의 박물관은 보아야 했다. 말이 쉬워 세 개지, 박물관 오픈하자마자 관람을 시작해도 클로징 하는 5 시 전까지 지역을 이동해 가며 정보를 담아 오는 게 쉬운 일이 아니다. 숙소에서 아침을 배부르게 먹고, 나갈 땐 미션을 다 수행하면 근사한데라도 들어가야지 하지만 결국 지친 채로 돌아와 쓰러져 잘 수밖에 없었다. 일본은 길어야 4 박 5 일인데 그렇게라도 콧바람 쐬며 외국을 가는 것이 좋았다. 일에 치여 살다 보니 해외여행은 꿈도 꾸지 못했던 시절, 우리는 출장을 핑계 삼아 머리를 식힐 수 있었다. 그 커다란 DSLR 카메라를 메고 다니며 카탈로그며 도록, 포스터 등을 바리바리 싸들고 돌아다녔던 시절을 생각하면 무언가 가슴이 뜨거워지는 지점이 있다. 지금은 우리나라가 선진국이 되어 버려서 부러 박물관을 답사하자고 일본에 가지는 않는다. 또 온라인 박물관, 360 도 VR 투어 등을 통해 가지 않고도 얼마든지 콘텐츠를 확인할 수 있는 루트가 있다. 그런데 내가 강조하고 싶은 건, 우리도 한때는 제안서를 작성하기 전에 반드시 일본에 먼저 가서 벤치마킹을 하고 기획을 시작하던 시절이 있었다는 것이다. 직접 발품을 팔아 내 눈으로 확인하고 만져보면서 자신감도 얻고, 돌아오는 길에는 꼭 더 좋은 안을 만들어 내겠다는 다짐도 하면서 말이다.

< LA 홀로코스트박물관_ 2022.8 >

< LA 홀로코스트박물관 한국어 가이드_2022.8 >

지금은 미국의 웬만한 대형 박물관이나 미술관에서는 한국어 버전의 브로셔를 쉽게 만날 수 있다. LA 에 있는 홀로코스트 박물관 정도만 되어도 오디오 가이드 앱에 한국어 버전이 설치되어 있다. 내 핸드폰과 이어폰만 있으면 동선을 이동하면서 친절하게 한국어 해설을 들을 수 있다.

< LA 관용박물관 세미나룸_2022.4 >

최근에 인상 깊었던 박물관은 리노베이션 하면서 주목을 받은 LA 관용 박물관이다. '관용'이라는 무척 다루기 힘든 추상적인 테마를 가지고 박물관의 의도대로 끝까지 주제를 밀고 나간다. 본 전시 관람 후 우리로 보자면 아직 미취학 아동에 해당하는 아이들이 세미나룸에서 진지하게 손을 들고 발표를 하는 모습을 보았다.

박물관 전시산업 전문가들은 보통 미국 동부의 워싱턴 스미소니언 뮤지엄, 뉴욕의 자연사 박물관을 먼저보고 서부로 날아와 샌프란시스코의 익스플로라토리움, LA 의 자연사나 게티 센터를 보고 돌아간다. 이렇게만 보아도 시차나 거리 때문에 너무 힘들다. 미국은 관광지가 아닌 곳에 중간 규모의 박물관이 곳곳에 위치해 있는데 기회가 된다면 너무 알려진 박물관보다 중소규모의 박물관을 꼭 추천하고 싶다. 미국은 콘텐츠의 힘이 강한 나라다. 뉴욕의 스파이 뮤지엄에 설치된 도입부 미디어 테이블을 보면 스파이로서 기초적인 자질을 테스트해 보기 위해 암호를 맞추어 보는 퀴즈를 풀도록 되어 있다. 아이들이 재미가 있다 보니 초집중하면서 미디어테이블 앞을 떠나지 않는다. 여러 번 시도하면서 답을 알아 가다 보면 정말 생각을 많이 하고 콘텐츠를 구성했다는 것을 알게 된다. 땅이 넓고 동선이 길다 보니 무엇이든 종합적으로 보여줄 것 같아도, 그 논리는 반대로 동선이 짧고 면적이 좁은 우리나라에 해당하는 경우이다. 어떤 특정 주제의 박물관을 각 시마다 건립하기 어렵기 때문에 한번 만들 때 모든 걸 언급하려는 의도가 강하기 때문이다.

유럽은 박물관 말고도 볼 것이 너무 많기도 하고, 이상하게도 집중적인 관람이 되기 힘들다. 한 번은 프랑스의 파리에서 좀 떨어진 지역에 해양박물관을 보고자 우리 팀이 테제베를 타고 도착한 적이 있다. 이탈리아에서 같이 합류한 선배도 있었다. 그런데 입구에 가서야 현재 리모델링 중이라는 입간판을 확인한 적도 있다. 어이없지만 그땐 그랬다. 사실 빠듯한 시간 안에 구석구석 사진을 찍으면서 박물관을 돌아다니다 보면 충분한 관람이나 감상보다는 일단 온 김에 마구 정보를 쓸어 담기 바쁘다고 하는 게 맞을 것이다. 나중에 돌아와 사진을 클릭하면서 돌려봐야 그제야 이런 곳이 있었나 기억이 나기도 한다. 많은 걸 보겠다는 욕심에 오전도 오후도 꽉 채워 관람을 하기보다는 하루에 하나를 보고, 나와서 그 주변과 도시를 함께 느껴보는 걸 추천하고 싶다. 시카고를 방문했다면 오전에는 과학산업박물관을 보고 오후에는 크루즈를 타고 시티투어를 하는 것이다. 왜 그런 전시물이 있었는지 비로소 이해하게 된다.

< 시카고 과학산업박물관_2022.8 >

기획자에게는 엑스포를 개최하는 도시도 참 매력적인 벤치마킹 대상이다. 2020 두바이 엑스포는 코로나 때문에 1 년이 연기되어 2021 년에 오픈했다. 한참 코로나 검사가 필수이던 시기였지만 오픈하자마자 두바이를 방문했다. 그래야 파빌리온 마다 두어 시간 줄 서는 고생을 피할

수 있다. 대신 후기들이 올라온 내용이 없기 때문에 일일이 몸으로 부딪히고 스스로 알아가야 하는 수고가 많다. 나는 영화도 가급적 개봉하는 날 보는 편인데 아직 아무도 보지 않아서 누군가의 의견에 영향을 받지 않기 위해서 그렇게 한다. 사람들은 좋다고 하니, 좋아야 하니까 좋다고 느끼려 하는, 이상한 심리가 있다. 대다수의 사람들과 나도 같은 편이라는 걸 알려야 할 때 남들의 평가를 마치 자신의 것인 양 떠든 적은 없는가. 기획자는 자기가 본 느낌대로 남에게 솔직히 말할 줄 알아야 한다. 세월이 지나 무엇이든 나의 평가에 사람들이 무조건적인 신뢰를 하게 되었다면 당신은 주관이 뚜렷한 기획자일 것이 분명하다.

< 2020 두바이 엑스포 이동성구역 주제관_2021. 10 >

세계적으로 5년마다 한번 열리는 공인 엑스포는 회사에서 지원을 안 해 주더라도 꼭 개인 돈과 시간을 내어서 봐두어야 한다. 그래야 앞으로 2년은 마음이 편하다. 엑스포 관람 후 3년째가 되면 아마 다음 엑스포의 한국관 참가에 대한 계획을 준비하게 될지 모른다. 나 역시 두바이 엑스포 한국관의 전시설계 공모에 참여해 제안서를 작성했다. 그러나 입찰에 참여한 해당 업체가 평가에서 1위를 하여 최종 협상대상자로 선정되고도 협상이 결렬되는 초유의 사태를 겪게 되었다.

늘 아쉬운 마음이 자리했고, 그래 어떻게 잘했나 한번 보자는 마음도 강했다. 두바이 엑스포 회장에 들어서서는 한국관에 사람들이 가장 많은 줄을 서 있는 것을 보고 참 반가웠다. 우리나라가 역대 최대 규모로 참가한 것이었는데, 미국과 일본, 영국, 프랑스, 독일보다 좋은 위치였다. 두바이 엑스포를 보고 선진국은 어떤 나라일까를 다시 생각하게 되었다. 개인적으로 감명 깊었던 국가관은 독일관이었다. 아예 새로운 에너지 과학관을 하나 건립한 것 같았던 독일은 선진국이 맞았다. 최첨단의 기술이나 과거의 자랑을 뷔페처럼 늘어놓는 것이 아니라, 다음 세대를 위해 우리가 무엇을 해야 하는지, 그것도 다음 세대가 놀고 배우도록 하면서 알게 하는 독일의 스토리 전개가 너무나도 근사해 보였다.

엑스포는 전 세계 인류 활동의 광범위한 부분에 걸쳐 달성된 진보적인 이슈와 최첨단의 기술이 한 곳에 모이는 이벤트이다. 과거 93 대전 엑스포는 아쉽게도 인정 엑스포였다. 꿈돌이의 여행에 대해 시나리오 아르바이트를 할 때가 대학교 3 학년 때였다. 그리고 오픈하는 첫날 아침, 번영관 어느 한쪽 구석에서 빗자루로 청소를 했다. 마지막 날까지 밤을 새워서 부스가 완성되었는데 지금이야 웃으며 말할 수 있지만 그땐 피를 말리는 밤이었을 것이다. 우리나라 전시산업은 93 년 대전 엑스포 이후로 폭발적인 성장을 한 것이니 내 개인의 전시 경력이 사실상 전시산업의 역사와 궤를 같이 한다고 볼 수 있다. 2025 년에는 오사카에서 엑스포를 개최한다. 많은 기대를 했지만 아쉽게도 우리나라는 2030 엑스포 개최도시로 결정되지 않았다. 하지만 남은 내 인생에서 기획자로서 한번 더 마지막으로 우리나라에서 개최하는 공인 엑스포의 계획과 실현에 조그만 기여를 할 수 있다면 더 바랄 것이 없을 것 같다.

**말하는 대로 꿈이 이루어졌으면 좋겠다.**

24

# 경조사의 의미

< 기획자의 나머지 시간_3 >

바쁘게 살다 보면 누군가의 경조사에 참석하기가 쉽지가 않다. 사회적 관계에서는 특별히 친하지도 않은데 시간을 내어 얼굴을 내비치고 성의를 보인다는 것이 일종의 낭비라 느껴질 수도 있다. 지난 직장 생활을 돌아보면 일로서는 그렇지 않은데 인간관계에서는 후회되는 것이 많다. 나이 들어보니 그 의미가 달라지는 것 중의 하나가 바로 누군가의 장례식, 결혼식이다.

회사에서 악명 높은 부장이 있었다. 다른 부서였고 직접적으로 마주쳐야 하는 일이 없다 보니 신경도 쓰지 않았다. 그날도 당연히 야근을 앞두고 저녁 메뉴로 무얼 먹나 우리끼리 잡담을 하고 있는데 우리 부서 임원이 기획팀장인 나와 디자인팀장을 불렀다. 타 부서 부장의 어머님이 돌아가셨다고 하니 너희 둘이 대표로 다녀오너라, 는 소식이었다. 바빠 죽겠는데 병원은 또 저 멀리 강 건너였다. 본인이 가면 되지 안 그래도 시간 없는 우리를 왜 앞세우나 싶어 마땅치 않았다. 우리 부서에서 아무도 안 가면 부서 간 위화감이 커지니 인사만 비추고 오라는 것이다. 할 수 없이 야근을 늦게까지 하고 밤늦게 병원을 들렀다.

**평소에 인사도 하지 않는 사이였는데 부장님은 벌개 진 눈으로 내 손을 덥석 잡더니 정말 고마워, 한마디 하셨다. 나도 너희들이 바쁜 걸 아는데 이렇게 시간 내주어서 고맙다는 뜻을 여러 번이나 온몸으로 전하셨다. 평소에 악명 높다는 소문은 어디서 나온 것인지 세상없이 따스한 분으로 느껴졌다. 고생하신 어머님을 계속 말씀하시는 모습을 보니 괜히 오지**

말까를 심각하게 고민했던 내가 겸연쩍기도 했다. 매번 집으로 운전해서 가는 길에 졸면서 가기 일쑤였는데 그날은 졸지 않고 집에 잘 도착한 기억도 난다. 고맙다고 손 잡아주신 그의 진심이 뇌리에 남았기 때문일까. 나 역시 30 대에 양부모님을 모두 보내드렸기 때문에 장례식장의 풍경이 얼마나 정신없는지 잘 안다. 그리고 신기한 건 그 와중에도 내 부모님 영전 앞에서 절하고 고개 숙였던 사람들은 그 표정까지 다 기억이 난다. 그 잠깐 순간에도 어, 의외의 사람이 왔네 하는 생각은 들었고, 또 그래서 더 고마웠다. 아마 그 부장님도 그런 마음이었을 것이다. 누군가 말했다. 장례식은 그렇게 정신없이 주변 사람들 때문에 보내드릴 수 있는 것이라고. 앞으로는 기쁜 일보다 나쁜 일에 더욱 그 주변인이 되어 드리는 건 어떤가.

돌잔치는 또 어떤가. 아주 오래전에 티격태격 싸우다가 살림을 합치신 두 선배들의 집에 초대를 받았다. 찔러도 피 한 방울 나올 것 같지 않던 노처녀 여자 선배님이었는데 뜻밖에도 몸집이 큰 터프가이랑 결혼을 하셨다. 터프가이 남자 선배는 재혼이었고 여자선배는 초혼. 여자선배님이 아이를 낳아 벌써 돌이 되었던 것이다. 신혼집은 무슨 달동네처럼 산꼭대기에 있었다. 여자선배는 포대기로 아이를 업고 있었고, 단칸방에 조촐하게 상차림이 놓여있었다. 왜 그런지 눈물이 나올 것 같았다. 비록 산동네여서 초라하지만 지인들을 불러 아이의 탄생도, 자신들의 사랑도 축하받고 싶으셨던 모양이다. 그날 연신 아이가 예쁘다고만, 잘했다고만 했는데도 여자 선배님은 자주 눈물이 차오르는지 훌쩍이셨다. 차를 타고 올라가는 것보다 내려오는 것이 더 위험한 길이었다. 지금은 돌잔치한다고 직원들 초대하고 하는 문화는 많이 없어진 것 같다. 가족들끼리도 생략하는 경우가 있으니 말이다. 그때 그 아이는 아마 지금 서른이 다 되었을 것이다.

일을 사이에 두고 만난 사회적 관계라는 건 그 이해관계가 끝나면 언제 그랬냐는 듯이 헤어지고 또다시 만날 수 있는 사이이다. 너무 친해도, 너무 적 같아도 결국 불편해지기는 마찬가지다. 하지만 일하는 구성원이 아닌 인간 한 명으로서 마주하는 시간이 바로 그 사람이 가장 기쁘거나 가장 슬픈 경조사 순간이다. 꼭 친해서가 아니더라도 나도 인간이니 당신도 인간임을 알고 있다는 의미에서 소식과 연락을 받았다면 가는 게 맞지 싶다.

**인간은 인간으로서 존중받을 때 가장 인간다워진다.**

가끔 지인의 결혼식에 갔다가 상황에 따른 축의금의 기준에 대해 갑론을박이 이어지는 기사를 보곤 한다. 우리가 이런 고민을 하게 되는 근본적인 이유는 절대적인 기준이 아닌 상대적인 기준으로 상대를 평가하기 때문이며, 그 상대적 기준도 여러 변수에 의해 늘 변하기 때문일 것이다. 예전엔 나와 친한 동료였는데 퇴사하였으니 지금은 안 친한 거 아닌가. 같은 부서 일 때는 같이 가자고 약속했는데 지금은 다른 부서인데 꼭 나까지 가야 하나. 내가 추천하는 건 내게 직접적으로 연락을 하여 초청을 하는 경우는 무조건 가도록 마음먹자는 것이다. 친분이나 관계를 재단하거나 뭔가를 계산하지 말고 가는 것이다. 참 희한한 것이 자주 얼굴을 내비치다 보면 저 사람은 연락하면 잘 오는 사람이라 생각하고 많은 이들이 소식을 전해주게 된다. 반대로 잘 안 보이는 사람은 그 사람의 사정과 상관없이 같은 논리로 연락을 꺼리게 된다.

그러니 엄밀히 말하자면 연락이 안 오는 것은 사실 내 하기 나름이었던 것이다.

25

# 꿈꾸는 시간

< 기획자의 나머지 시간_4 >

등단을 목표로 신춘문예를 준비하는 시간이 있었다.

이상문학상을 수상하신 작가님 아래 같은 목적을 가진 사람들이 모여 소설을 공부하던 시절. 또 한 2년, 나는 소설가가 되겠다고 부지런히 도 쫓아다녔다. 마침내 작가 선생님에게 극찬을 받고 인정을 받은 작품을 신문사에 접수했다. 소설가가, 소설가가 되기 전에 인생에서 두 번은 쓰지 못할 수작을 가끔 집필하기도 하는데 내가 그런 케이스라고 하셨다. 그런데 그날 밤 이리저리 나무를 건너뛰던 원숭이가 긴 팔 하나를 놓치고서는 어이없게도 한 나무에서 톡 떨어지는 꿈을 꾸었다. 어떻게 그렇게 생생할 수가 있을까. 말로만 듣던 속담이 아주 구체적인 비주얼로 나타나니 절대로 무시할 수가 없는 꿈이었다. 그리고 꿈처럼 톡 떨어졌다.

한 번은 내가 어깨 끈이 달린 분홍색의 화려한 원피스를 입고 사람들 앞에서 무언가 심사를 받고 있었다. 이상하게도 옷자락이 하나둘 풀리며 어깨끈이 가슴 앞으로 스르르 내려오는 것이다. 너무나 창피해 대처를 하고 싶었지만 방법은 생각이 안 나고 사람들은 모두가 나만 쳐다보는 것 같아 고개를 절레절레 흔들며 깬 적이 있다. 발표자가 질문에 현명하게 대처를 하지 못해서 낙선되고 말았다.

검은 비둘기가 푸드덕거리며 땅바닥에 떨어졌다. 알 수 없는 종류의 벌레들이 갑자기 거실 소파 밑에서 쏟아져 나왔다. 날개가 달린 백마가 하늘 위로 올라가다가 갑자기 천둥이 치고 비가 오더니 땅으로 고꾸라졌다.

이런 꿈을 꾸었을 때 프로젝트나 미팅의 결과는 좋지 않았다. 협력사의 성격 까칠한 팀장과 라면을 끓여 사이좋게 마주 보며 먹었는데 예상을 뒤엎고 당선이 되었다.

**나는 특히 어떤 결정을 앞두고 꿈을 잘 꾼다.**

나의 꿈 이력은 아주 어렸을 때부터 시작된다. 일곱 살에는 동네에 거대한 불이 나서 외할머니와 어머니가 나를 찾아 헤매시는 꿈을 꾸었다. 지금도 가끔 꿈에만 나오는 그 언덕이 있는데 어머니와 할머니가 입은 복장까지 생생하다. 꿈에만 등장하는 집도 있다. 홍수가 나면 물에 빠져 허우적거리는 사람들과 산사태로 엉망이 된 잔해더미, 물길을 피하고 피해서 마지막에 초가집같이 허름한 집에 도착한다. 그런데 언제나 그 집에 들어가면 마치 대형 참사에서 구조가 된 생존자와 같은 기분이 들었다. 어디론가 떠나기 전에는 돌아가신 어머니가 등장해 내 짐을 싸주시고, 음식도 차려주신다.

한 번은 일제 강점기 독립 운동가들이나 들고 다녔을 것 같은 분위기의 허름한 레트로 여행 가방이 안방에 떡하니 놓여 있는 것이다. 가기 싫은 일을 앞두고 꾼 꿈이었다. 같은 위치에 예쁘게 포장이 된 가방이 놓여 있을 땐 회사에 돈이 들어오는 날이었다. 마치 양자역학의 세계라도 확인하듯, 나는 그렇게 다른 세상의 꿈을 꾸는 시간이 있다. 꿈을 많이 꾸다 보니 종류별로 분석도 해보고 꾸고 싶은 바람의 꿈도 그려보고 그랬다.

심리학적으로는 불안이나 걱정으로 잠들기 직전에 오래 한 생각이 무의식의 세계에 남아 꿈으로 발현되는 것이라고 한다.

그런데 확실히 수면의 질이 좋아지고 마음에 여유가 생기면 안 좋거나 너무 의미심장한 꿈은 잘 꾸지 않게 되는 것 같다. 그러니 잦은 불안과 쓸데없는 걱정이 많은 기획자로 성장하면 안 되겠다. 모든 건 더 잘해야겠다는 욕심에서 비롯되는 망상이다. 한 생각을 너무 오래 하는 바람에 생긴 과몰입의 연장이다. 기획자 초창기 시절에는 내가 과연 이 일을 제 시간 안에 끝낼 수 있을까 하는 불안이 가장 컸었다. 진도는 안 나가는데 날짜만 지나가니 밤을 새도 걱정이었다. 이 불안은 경력이 쌓이고 업무에 능숙도가 붙으면서 자연스레 없어졌다. 팀장이 되었을 때는 프로젝트의 결과가 좋지 않을 것이 가장 걱정되었다. 모두의 고생이 헛된 수고가 될까 봐 늘 노심초사였다. 대표가 되었을 때는 저 사람이 나를 배신하면 어쩌지 하는 불안이 가장 컸다. 아무리 잘해주어도 사람은 떠난다. 은혜를 진 사람만이 원수가 된다. 그리고 그 불안은 가끔 현실이 되기도 하며 경험칙에 의한 전조증상 같은 것을 파생시키기도 했다.

사람은 원인과 결과가 있으면 어떻게든지 둘 사이의 인과관계를 만들고 끝내 이야기를 완성시키고 싶어 한다. 어떤 꿈을 꾼 후 어떤 결과가 있다면 바로 그 꿈에 의미를 부여하는 것처럼 말이다. 우리는 혹시 일의 결과로 인해 나중에 의미를 부여해 놓고 마치 꿈이 원래 그런 의미였기 때문이라고 주장하고 있는 건 아닐까? 꿈이 너무 좋아서 매일이 행복하다는 사람은 보지 못했다. 문제는 안 좋은 꿈이라 여기는 종류의 꿈을 꾸고 난 후 실제로 나쁜 일이 일어날까 봐 걱정하는 마음일 것이다.

내가 꾼 꿈마저 통제가 가능한 기획자가 되면 좋겠다. 진행이 시작되는 꿈의 내용을 통제할 수 없으니 첫 번째로는 염려에 해당하는 한 생각을 오래 하지 않았으면 한다. 옷가게를 할 때 내 손님들은 명절증후군을 제대로 앓고 있는 분들이었다. 큰며느리, 작은 며느리 할 거 없이 명절에 시댁에 가는 것을 약 보름 전부터 걱정을 한다. 그런데 다들 입 모아 하는 소리가 있다. 또 막상 닥치면 아무것도 아니고 큰일도 일어나지 않는데, 그 가기 싫다는 생각 때문에 가기 전이 더 불행하다는 것이다. 생각을 너무 오래 하지 않는 방법은 박차고 일어나는 것이다.

두 번째는 이미 꿈을 꾸었다면 앞으로 그 꿈이 결과와 일치하지 않을 때를 더 기억하고 인과관계에 방점을 두지 않는 것이다. 즉, 나쁜 꿈과 나쁜 현실은 상관이 없다고 타이르는 것이다. 세 번째는 같은 악몽을 반복해서 꾼다거나 일상에 영향을 주어서 괴로울 때이다. 반대로 나를 제일 기쁘게 하는 장면들을 떠올리고 그 장면에 자신만의 이름을 붙여놓는다. 그리고 나쁜 꿈이라 생각하면 내가 명명한 장면을 소환해 입으로 불러준다. 예를 들어 애인과 식사하는 순간, 반려견과 산책하는 순간, 어릴 적 놀이동산에 간 추억, 생일파티 등등 신나고 행복한 장면을 하나 정지시켜 '사랑이', '포그니', '메롱이' 같은 이름을 정하고 그 이름으로 불길하다 여기는 감정을 치환시키는 것이다.

마지막 방법은 정신과 의사가 알려준 방법인데 나는 이 방법을 나쁜 꿈뿐만이 아니라 현실에서도 불안 때문에 혹시 안 좋은 생각이 들 때, 혹은 실제로 보지 않아도 될 장면을 보았을 때, 활용하곤 한다. 인간의 뇌는 이미 본 것, 이미 생각한 것을 깨끗이 지워버릴 수는 없다고 한다. 그러나 삭제는 불가능하지만 반복적 훈련에 의해 완화는 가능하다고 한다. 트라우마 치료에 많이 쓰이는 기법이다.

꿈에서 깨어나면 대개 아침일 것이다. 치열한 하루를 보내고 다시 새로운 날이 시작되는 순간, 꿈이라는 과거에 사로잡혀있기보다 다시 나만의 루틴을 가동할 준비를 하는 것이다. 기획자는 결국 일에서 시작해 앞날을 바라보며 나의 행복과 인생, 그리고 미래를 계획하는 사람이다. 물론 다른 모든 이도 그렇겠지만 기획자라면, 그 계획이 누구보다 근사하지 않을까?

26

# 기획자의 메모리 노트 5 :

## 우리가 봤어, 내가 봤어

**인정욕구 : 타인에게 자신의 능력이 뛰어나다는 것을 인정받으려 하는 욕구.**

나는 무남독녀로 태어났다. 부모님이 나를 늦게 보셔 아주 금지옥엽으로 사랑을 독차지하며 자랐다. 하지만 당시 동시대 부모님들에 비해서는 자식을 늦게 본 케이스였다. 나의 어머니는 말 그대로 현모양처 스타일이었는데 손재주가 뛰어나셔 바느질, 요리 등 일반 가사노동을 전문가처럼 수행하시는 수준급의 실력자셨다. 어머니는 약속이나 시간을 엄격하게 지키는 분이셨고, 정해진 시간에 하기로 한 일은 무슨 일이 있어도 마쳐야 하는 과업에 엄격한 분이었다. 칸트처럼 정해진 그 시간에 꼭 산책을 한다거나 가기로 한 것은 꼭 가고, 안 가기로 한 것은 절대 안 가셨다. 이러한 어머니 덕에 나는 시간에 대한 강박이 좀 심한 아이로 자랐다. 지금도 그 영향으로 예를 들어 월 단위로 운동을 한다했을 때 폭설이나 폭우가 내려도, 목에 칼이 들어와도 미련하게 출석을 하는 사회인이 되어 버렸다.

어머니는 그 시대의 다른 어머니들과 마찬가지로 본인이 못다 한 공부에 대한 아쉬움 플러스 하나뿐인 자식에 대한 본능적인 교육열로 인해 나에게 무척 공을 쏟으셨다. 그런데 어머니는 학교에서 내가 이룬 성취에 대해서는 웬만해선 칭찬을 해주지 않으셨다. 처음에는 10등 안에 들면 칭찬을 받을지 알았는데, 별다른 반응이 없었다. 그래서 3등 안에 들면 해주겠지 했는데 또 반응이 시큰둥했다. 오기가 생겨 칭찬을 받으려고 반에서 1 등, 전교 1 등도 해보았지만 어머니는 씩 웃는 정도가 최대치였다. 다른 친구들은 90 점만 받아도 집에서 친구들과 함께 짜장면을 시켜주던 시절이었다. 야속한 어머니, 그뿐만 아니라 장기 출장을 자주 가시던 아버지 때문에 오랜만에 집에 오시면 짠하고 상장을 보여드리려고 별의별 상을 다 받아봤다. 한 번은 초등학교 5 학년 때였나, 그때는 방학숙제를 부분별로 세세하게 다 시상했는데, 내가 받은 상은 총 열두 개 인가 그랬다. 호명했다 하면 내 이름만 불러서 자리로 들어오지 않고 아예 단상 옆에 서 있어야 할 정도였다.

부산에서 강남으로 상경하신 어머니는 맹모삼천지교를 투철하게 실천하시는 분이었다. 덕분에 나는 초등학교만 6 군데를 다녔다. 1 년에 한 번씩 옮긴 꼴이니 매번 새로운 환경에 적응해야 했고, 친구들도 친해지면 헤어짐의 연속이었다. 그래서 나는 더욱 무슨 대회만 개최했다 하면 일단 상을 타고 보는 식으로 학교생활을 해나갔다. 친구들에게 나를 알리는 방법으로는 수상자에 호명되는 일이 가장 빨랐다. 오죽하면 그 시절 초등학교 동창들이 훗날 만났을 때, 나는 네가 정말 큰 성공을 할 줄 알았다고 고백했을까. 아예 처음부터 수상을 목적으로 전략적인 접근을 한 것이니 뭐라도 하나 안타는 것이 이상할 정도였다. 어쩌면 내가 어떤 사업이건 공개경쟁이나 제안공모분야에 두드러진 성과를 내온 것은 나의 학창 시절에 답이 있는 것 같다. 그랬다. 가장 나를 가까이서 온몸으로 돌봐

오신 어머니 한 사람에게 크게 인정받고 싶은 욕구. 나는 인정욕구가 강한 사람이었다.

이 인정욕구는 사회생활하면서 동료와의 비교나 경쟁을 통해 충분히 해결되었다. 깐깐하신 어머니 덕분에 나는 언제나 그보다는 덜 깐깐한 윗사람들의 사랑을 독차지하곤 했다. 다행인 건, 사람과의 경쟁에서 과하게 승부욕을 부리게 되는 쪽보다는, 사업의 성공을 위한 대결구도에서 더욱 강하게 발휘되었다는 점이다. 원래 일보다는 사람을 이기기가 쉽다.

한때 장안에 독후감대회나 리뷰대회는 온통 휩쓸던 시절이 있었다. 최초로 독후감 대회에 참여하게 된 이유가 글 쓰는 능력을 인정받고 싶어서가 아니라 바로 사람 때문이었다. 우연히 어떤 책을 읽었는데 그 책의 독후감대회로 대상을 탄 수상작을 접하게 되었다. 그런데 이런 정도의 글 수준이면 나도 얼마든지 수상권에 들겠다는 생각이 퍼뜩 들었다. 몇 장 안 되는 원고로 상금도 받아가는 걸 보고 참 쉽게 돈 버는구나 싶어 테스트로 어떤 대회에 참가해 보았다. 처음에 3 등에 해당하는 장려상을 받았다. 그 분야에도 역시 숨은 고수들은 많았다. 오프라인에서 시상식을 한다 하여 1 등 한 사람이 궁금하기도 해서 나가보니 아주 젊은 처자였다. 글을 보니 어쩐지 사연이 많아 보였는데 알고 보니 그 처자는 상금이 있는 독후감대회만 골라서 참가하며 항상 1 등을 받아가는 글쟁이였다. 수상작들을 읽어보면 늘 단골로 가족의 극단적인 불행사가 등장하는데 우연의 일치인지 꼭 해당 도서의 스토리와 꼭 같은 경험을 했다는 식의 전개였다. 모든 사연이 사실이라면 그녀는 모든 가족이 장애인이거나 치매이거나 교통사고를 당했을 것이다. 그러니까 그녀는 글재주로 있든 없든 가족을 팔아 소득을 취하는 이른바 생계형 리뷰어였다. 누군가는 그녀의 글에 감동을 받았을 텐데 글은 진실해야 한다는 진부한 가치는 접어두고서라도 젊은 친구가 그렇게 살면 안 된다는 생각을 했다. 그리하여 그녀의 사정을 알지 못했지만 그녀가 옳지 않다는 생각에 그녀를 이겨야겠다는 몹쓸 승부욕이 발동하게 된 것이다.

내 인생에서 집중적으로 다양한 분야의 많은 책을 읽은 시기가 있었는데, 그녀 덕분이었다. 크고 작은 대회에서 한 2 년은 그녀의 1 등을 막았고, 그녀의 필명 위엔 항상 나의 필명이 발표되었다. 그리고 언제부터인지 1 등을 하는 재미가 없어진 탓인지 그녀는 슬슬 참가를 하지 않게 되었다. 그 무렵 어느 출판사 대표가 내게 장문의 메일을 보내왔다. 이제 그만 대회에 참가하시고 당신의 글을 쓰라는 내용의 아주 정성스러운 편지였다. 나 같은 글쟁이가 자꾸 참여를 하면 일반 수준의 독자들이 참여를 안 한다고 말이다. 그 메일을 받고 나는 얼굴이 너무 화끈거렸다. 한두 번 증명했으면 되었지 무엇을 더 인정받겠다고 기를 쓰고 글을 써대었던지, 정작 그 이유가 기억나지 않았다. 궁극에 나 역시 상금의 소소한 즐거움을 놓치고 싶지 않아 전략적 글쓰기를 이어온 건 아닌가, 과연 나는 그 친구와 무엇이 달랐나 싶었다. 그날 이후 독후감은 절필했지만 그 시기 나는 글을 쓰면서 무언가를 견뎠던 것 같다. 그리고 어떤 임계점을 넘어보니 이제 인정받지 않아도 스스로 만족할 수 있는 단계에 이르렀다.

중요한 건 남이 아니라 자기 자신이 인정하는 단계까지 도달하는 것이다. 누가 인정하지 않더라도 나 스스로가 가치 있는 존재라는 확신이 중요하다. 다시 말해 대상이 없다 하더라도 상대적 비교가 아닌 애초부터 자신감과 자부심을 가지고 살아가는 힘, 그것이 바로 인정욕구의 최상위 수준인 것이다. 그리하여 남 때문이 아닌 나로서의 목표를 만들고 스스로 살아갈 맛을 느끼면 되는 것이다.

27

# 종이와 연필만으로 아이디어 완성하기

< 기획자의 실무_1 >

기획은 자신이 보고 듣고 경험한 모든 소스들을 그때그때 최적화하여 직조해 내는 일이다. 사람은 아이러니하게도 자기가 알고 있는 모든 것들을 알지 못한다. 내가 무엇을 알고 있다는 사실을 인지하고 사는 사람은 거의 없다. 학창 시절을 지났다면 더더욱 내가 알고 있는 것들을 일일이 확인하거나 평가받을 일도 없다. 아는 것을 모르기만 할 뿐이 아니라, 무엇을 모르는지도 사실은 모른다. 더 충격적인 사실은 알면서 모른다고 여기는 것보다, 모르면서 안다고 착각하는 것이 더 많다는 것이다. 그러니까 종합해 보면 인간은 자신이 실제로 아는 것보다 더 많이 알고 있다 생각하며 살아가는 존재인 것이다.

기획자로 살아간다는 것은 끊임없이 자기가 알고 있는 바를 갱신하고 수정하고 보완하며, 그 결과로 자신이 모르는 분야를 줄여가는 일이다.

그렇다면 아는 게 많은 사람이 기획도 잘할까? 물론 요리재료 자체가 풍부하니 맛있고 훌륭한 요리를 할 조건은 되어 있다고 볼 수 있다. 하지만 요리사가 다르고 레시피도 다르고 순서도 비법도, 결정적으로 손맛도 미세하게 다르니 맛은 당연하고 전혀 다른 요리가 되어 있을 것이다. 아는 게 많은 사람이 기획을 꼭 잘하지는 않으나, 기획을 잘하는 사람들은 대개 아는 게 많은 사람들인데, 그 이유는 기획을 하면서 점점 더 분야별 지식이 넓고 깊어지기 때문이다. 하지만 중요한 건 지식의 총량보다 그것의 무한한 가공능력이다. 우리가 살면서 자신이 배운 것들을 끄집어 내놓고 합치고 잘라내어 보기 좋게 가다듬을 기회는 많지가 않다. 기획자는 자기가 가진 정보들을 가지고 고객이 원하는 바대로 멋진 요리를 해내는 사람들이다.

그런데 요즘 기획자들은, 너무나 쉽게 관성적으로 숙제를 하는 모습을 보게 된다. 모든 것이 디지털화되다 보니 한번 작업해 놓은 개별 소스들도 풍부하다. 바로 이전에 생태에 관한 홍보관을 작업했는데 오늘 환경과 같이 비슷한 주제의 박물관 제안서가 떨어졌을 경우, 별생각 없이 비슷한 부분을 슬쩍 카피부터 해놓고 작업을 시작한 적은 없는가. 특히나 모든 박물관에서 제시하는 미래 코너는 아직 다가오지 않은 시간이기 때문에 우리가 바라보는 모습을 그려가는 과정은 사실상 대동소이하다. 경력이 쌓이면 내가 작업한 제안서뿐 아니라 타사에서 만든 제안서까지 합해져 기획자로서는 바로 보고 베껴 쓸 수 있는 자원이 풍부해진다. 이러저러한 핑계로 기획자는 단어 몇 개를 바꾸고, 여기저기서 솎아내어 결과물을 합성하여 제안서를 만들어내기 쉽다.

진심으로 경계해야 할 버릇이다.

편한 방법에 이끌리다 보면 절대 실력 있는 기획자가 되기는 힘들다. 나는 이상하게도 학창 시절부터 그렇게 내 글을 표절하는 친구들을 보아왔다. 회사생활에서도 마찬가지였다. 내가 만들어 놓은 글들을 교묘하게 가지고 가서 자신이 한 것처럼 티 안 나게 가공한 것을, 원래 창시자는 귀신같이 알아본다. 내가 머릿속으로 생각하여 지어낸 글이기 때문이다. 하지만 누군가의 글을 복제하면 금방 쉽게 잊어버린다. 그리고 가장 무서운 건 다음에 또 그렇게 해야 많은 페이지를 채울 수 있다는 점이다.

내가 권하고 싶은 방법은 프로젝트를 받았을 때 조선시대 과거시험을 볼 때처럼 백지와 처연히 독대하라는 것이다.

**그리고 그 백지에 아는 것을 다 적어보라.**

A4 용지는 생각보다 꽤 넓다. 다 채웠다면 파생된 생각을 적어보라. 과연 하나의 프로젝트로 얼마나 한 페이지를 채울 수 있을까. 말하자면 기획자의 최초 설계도에 해당하는 진액 메모라 할 수 있을 것이다. 누군가 이 메모를 훔친다면 그 한 장만으로도 전체적인 내 생각을 다 알 수 있도록.

인터넷 기사 검색도 없이, 네이버나 포털 없이, 유튜브에 올라온 영상도 보지 않고, TV 나 SNS 같은 채널도 없이, 나무위키 같은 백과사전도 없이, 파파고 같은 번역기도 없이, 벤치마킹 대상의 해외 홈페이지도 없이, 현장사진도 하나 없이, 핀터레스트에서 찾은 레퍼런스도 없이 그리고 무엇보다 이전에 완성한 제안서도 하나 없이, 그렇게 연필 하나 들고 백지 앞에서 누구의 생각도 아닌 나만의 생각을 쓰고 그려보라. 만약 당장 오늘부터 그런 방식으로 입찰을 결정한다 하면 누구도 이길 수 있을 자신이 생길 때까지.

눈사람으로 치자면 처음에 힘겹게 두 손으로 꾹꾹 눈을 모아서 눈 바닥에 굴려도 잘 뭉쳐질 수 있을 만큼의 눈덩이를 말한다. 사실 인터넷이 활성화되지 않았을 시절엔 다 그렇게 기획을 하고 문서를 작성했다. 내가 아르바이트를 할 시절에는 종이 신문을 가위로 잘라 스크랩용 파일을 만들면서 하루를 시작했다. 나만해도 아날로그로 일을 배워서 그런지 요즘 기획자들의 편리해진 업무 방식이 기획자의 실력 향상에 썩 도움이 되지 않는다고 본다.

이 말은 언제 어디서라도 종이와 필기구만 있으면 나의 생각을 정리하고, 그것을 뼈대삼아 작업을 진행할 수 있어야 한다는 뜻과도 같다. 옛날 작가들은 컴퓨터가 아닌 종이 원고지에 자신의 손으로 글을 썼고, 한 자 한 자 물리적인 힘을 가해 아이디어를 녹여내었다. 비어있는 아이디어 노트 같은 것을 마련해 두어도 좋다. 내 생각을 대신해 주는 컴퓨터의 도움 없이 현재의 내가 떠올린 생각에 확신을 가져야 한다. 새로운 방식이 꼭 더 좋은 방식은 아닐 수 있다. 아주 오래전에 화이트보드에 즉석으로 자신의 생각을 막힘없이 풀어내면서 구상안을 만들어내던 선배가 있었다. 회의가 끝나니 그 프로젝트의 제안은 끝나 있었다. 그런 경지까지 가는 사람이 따로 있는 것이 아니다. 그렇게 해보고, 계속하다 보면 나 역시 그런 사람이 되어 있을 것이다.

28

# 텍스트는 항상 이미지와 같이 표현한다

< 기획자의 실무_2 >

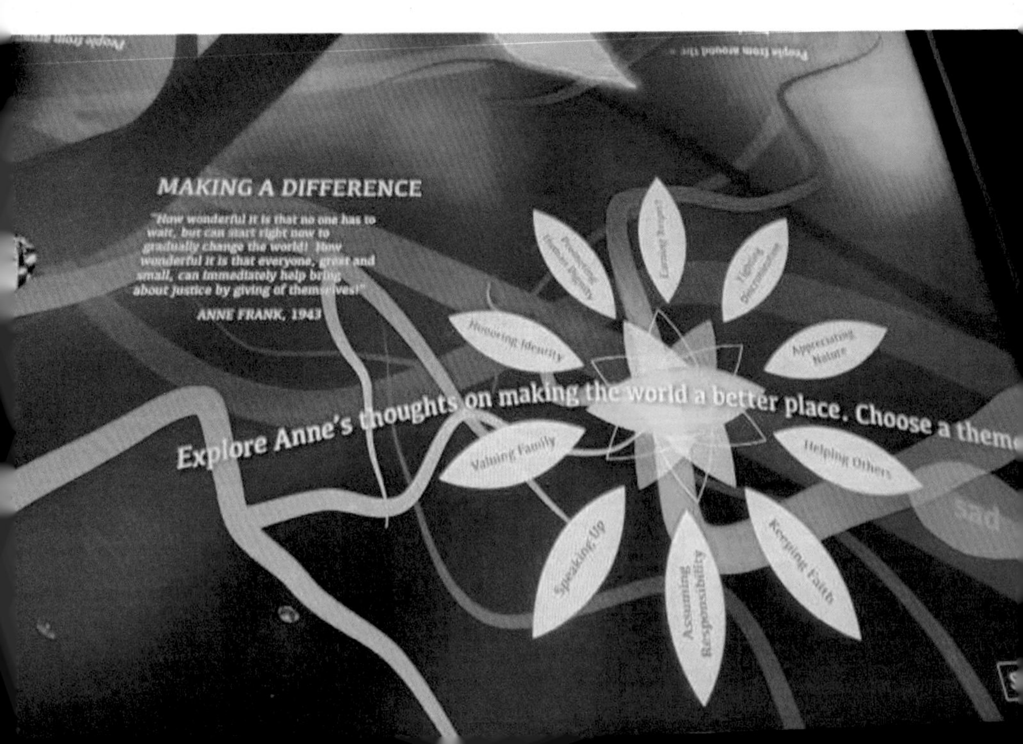

모든 기획에는 계획서의 형식으로 담아내는 기획서, 제안서가 존재하는데 기획을 잘하는 것과 기획서를 잘 쓰는 것이 꼭 일치하지는 않는다. 공부를 잘하는 것과 시험을 잘 치는 것이 꼭 일치하지 않는 것과 비슷한 이치다. 모든 문서가 디지털화되고 파일의 시대가 오면서 점점 더 눈으로 보게 되는 시각적인 자료는 중요해졌다. 아날로그 시대에는 발표자가 말로 설득하는 시간이 분명히 주어졌었고, 내용보다는 말을 잘해서 현란한 발표로 기획안을 잘 포장하기도 하였다. 하지만 이제 눈에 보이지 않는 것은 거의 없는 내용과 같다고 할 수 있다.

비대면의 시대에 기획서는 텍스트를 포함한 모든 비주얼의 총합으로서 그것을 보는 사람을 설득하는 역량까지 포함하는 결과물로 그 의미가 확대되었다. 그러다 보니 인문학, 사회학, 경영학, 역사학, 철학 등의 전통적인 문과출신 기획자보다 디자인, 교육, 과학, 커뮤니케이션 등 실용학문 전공자들이 더 쉽고 더 설득적인 방법으로 기획 업무를 수행하는 것 같다. 즉, 표현할 수 없는 아이디어나 글로만 된 추상적인 계획은 지금 시대의 기획과는 맞지가 않다. 하여 문과출신 기획자도 자신의 생각을 글로만 적을 것이 아니라 최대한 그것과 유사한, 혹은 그것을 연상할 수 있는 이미지와 함께 표현하는 방법을 훈련해야 한다.

언젠가 박사를 전공하고 있던 고급인력을 해당 분야 콘텐츠 설계 담당자로 기용한 적이 있다. 그는 대학에서 언론을 전공했고, 대학원도 두 군데서나 커뮤니케이션 관련 학위를 받았다. 관련 실무 경력도 많았다. 스토리를 잘 구성하는 사람이라 하여 소개받았던 기억이 난다. 그런데 어찌 된 일인지 시간이 경과해도 결과물은 나오지 않았다. 매번 아직 정리가 되지 않았다는 식이었다.

우리 쪽 일은 텍스트만 있을 경우, 무엇보다 디자이너들이 읽기를 싫어하기도 하고, 각자 생각하는 바를 전달하기도, 공유하기도 어렵다. 파일로 빠르게 이동하며 결과물이 완성되는 디지털 시대에 텍스트는 미완성 아이디어다. 자신이 생각한 내용은 반드시 이미지로 부연할 수 있어야 한다. 최대한 비슷하게 생긴 레퍼런스라도 찾아 놓아야 그다음 과정이 진행된다. 오래전 타이피스트와 그래픽 디자이너가 따로 있을 땐 기획자가 생각을 하고 손으로 문서를 작성하면 누군가 타이핑을 치고, 누군가 그림도 그렸을 것이다. 박사친구도 자신의 방대한 생각을 잘 정리해 일단 텍스트로 문서를 만들어 놓고, 그 완성본을 가지고 어울리는 이미지를 찾으려 했다고 한다. 논문을 많이 쓴 사람은 더욱 텍스트와 이미지 병행으로 이야기 파일을 완성하기 어려워한다. 그렇게 되면 공부를 많이 한 박사출신 기획자와 지금 하나도 내용을 파악하지 않은 디자이너들과 괴리감은 점점 커진다. 그리고 텍스트 작성 후 파일을 다시 열어 이미지 합성을 한다고 했을 때 생각을 두 번 해버리는 꼴이 되므로 최초 생각을 잊어버리거나 두 번째 생각하면서 더 낫다고 생각되는, 글과는 다른 방향이 떠오르기도 한다. 아무래도 같은 내용을 두 번째 하는 생각이니 더 심화될 수밖에 없지 않은가. 효율성 면에서도 지양해야 할 습관이다.

**기획자는 생각과 동시에 텍스트를 적고 바로 그 생각에 어울리는 이미지로 이야기 파일을 완성해 나가야 한다.**

인문학 전공 출신의 기획자에게 이 작업은 말처럼 쉬운 것은 아니다. 그래서 일단 피피티 파일을 열고 글과 그림을 동시에 얹어가며 생각을 정리하는 습관을 들이기 바란다. 때로는 한 장의 이미지가 어떠한 글을 압도하기도 한다. 역사를 주제로 하는 박물관은 과거 사진이 많기 때문에 쉬운 편이다. 과학관도 특정 주제별 자료들이 많으므로 새롭기가 어려워서 그렇지 이미지 리서치는 어렵지 않다. 어려운 것은 '평화', '친환경', '안전', '혁신', '성장' 같이 어떤 일의 결과로써 추상적인 개념을 시각화해야 할 때이다. '용서', '기원', '공감' 같은 인간의 내면에서 일어나는 일도 표현하기 쉽지 않다. 하지만 늘 그렇듯 그 어려운 걸 쉽게 해내야 한다.

이미지로 생각하는 훈련을 많이 해야 좋은 이미지를 선별할 줄 아는 능력도 생기게 된다. 또 텍스트와 함께 이미지를 합성하다 보면 그 간단해 보이는 생각이 얼마나 추상적이고 표현하기 어려운 것인지도 알게 된다. 그렇다면 전달받는 사람도 마찬가지 일 것이다. 설득을 하려면 우선 잘 전달되어야 한다. 우리가 문학작품을 쓰는 것이 아니기 때문에 어떠한 이미지로도 표현할 수 없다면 그 생각은 없었던 일로 하는 것이 좋다. 내가 어떻게 해도 표현할 수 없다면, 생각을 더 이상 전개시키지 마시라. 그렇기 때문에 역으로 표현이 어려운 그 개념을 이미지로 치환해 내었을 때, 바로 기획자의 실력이 쑥쑥 자라나는 것이다. 주로 고학력 인력들이 글로만 작업을 해 나가고 바로 표현할 수 없었던 생각임을 알아차리지 못한 채 혼자만 저 멀리 가 있는 경우를 종종 본다.

디지털 시대에 환영받는 기획자는 자신의 생각을 충분한 이미지로도 표현할 수 있는 사람이라는 것을 또 한 번 강조하고 싶다. 그렇지 않으면 산만한 이야기를 그냥 허공에 떠드는 나 홀로 지식인에 불과해진다.

< 함안박물관 제 2 전시관의 전시물 설계 제안의 전시주제 >

- ‘문화보석함’이라는 합성된 조어를 표현하기 위해 그 지역의 자연과 역사문화환경의 뿌리가 된 습지생태계 식물인 <마름쇠>를 발굴.

- 다이아몬드 구조를 가지는 <마름쇠>의 형태를 역사로 보고, 이것이 문화로 이어진다(꽃이 핀다)는 것을 표현하기 위해 지역에서 중요성을 가지는 연꽃을 등장시킴.

- 700 년 전의 씨앗이 문화의 열매로 익어간다는 의미가 과거와 현재를 이어주는 이야기로 보이도록 유도.

29

# 관련 영화나 드라마 콘텐츠를 본다

< 기획자의 실무_3 >

프로젝트를 진행하다가도 무언가 부족함이 느껴질 때가 있다. 소위 말하는 그 한방이기도 하고 모든 것을 다 적용했는데도 어쩐지 내 가슴에도 와닿지 않을 때. 그럴 때는 바깥에서 실마리를 찾는다.

아주 오래전부터 내겐 이상한 법칙이 있다. 그 전날 '이순신' 관련 프로젝트를 오래 생각하다 보면 꼭 그다음 날 아침 뉴스나 유튜브, 아니면 인터넷 포털에 '이순신'과 관련된 기사가 뜬다. 우연의 일치라기보다는 내가 이순신 생각만 하다 보니 그 정보가 눈에 먼저 띄는 것일 수도 있다. 어떤 연유에서건 오래된 기획자인 내게 존재하는 오래된 법칙이다. 그래서 혹시 아이디어가 떠오르지 않아도 큰 걱정을 안 한다. 때가 되면 내게 운명처럼 다가오는 단서가 기다리고 있을 것이기 때문이다.

일이 잘 풀리지 않고 구성안이 내 맘에 들지 않을 때, 영화를 보면 한창 눈과 귀를 쫑긋하고 보기 때문에 반드시 실마리를 찾게 된다. 그날도 그랬다. 호국에 대한 전시관 제안서를 만들고 있는데 시간이 흐를수록 무언가 하이라이트가 없는 것 같다는 생각이 들었다. 마침 이순신 장군의 한산대첩을 그린 <한산 : 용의 출현>이 개봉을 했다. 국내에 이순신 관련한 전시관은 무수히 많다. 그만큼 호국영웅으로서 이순신은 너무나 진부해 별다른 아이디어도 떠오르지 않았다. 무엇보다 이순신을 등장시킨다고 하여 호국에 대한 마음이 특별히 생길 것 같지도 않았다. 영화를 본 이유는 호국영웅에 대한 웅숭깊은 마음이 생기지도 않으면서 관성적으로 제안서를 써대고 있는 나 자신이 싫어서였다. 한산도 앞바다,

압도적인 승리가 필요한 조선의 운명을 건 해상 최고의 해전, 명량이라는 영화를 익히 잘 알고 있어서였을까. 기대하지 않고 좌석에 앉아 사실 도입부는 졸면서 봤다.

물론 연출효과를 극대화하기 위해서였겠지만 학익진의 대열이 나타날 때도 가장 심장을 두드리던 건 웅장한 배경음악이었다. 적군의 배에 밀착해 기회를 포착한 다음 쏘아대는 화포와 하필 그때 열리던 거북선의 원형 문도 인상 깊었다. 거북선 내부에서 배를 조종하는 능로군의 사력을 다하는 노젓기도 영감을 떠오르게 했다. 나중에 찾아보니 능로군에게는 하루 종일 어떤 일도 시키지 않고 거북선 노젓기만을 위해 체력을 비축해 둔다고 한다. 나라를 지키기 위해 각자 위치에서 자신의 역할을 다하는 최고치의 모습을 겹쳐서 보게 된 것 같았다.

가장 아쉬운 건 제안서라는 사실상 2D 매체에 사운드를 설명하기는 어렵다는 것인데, 호국의 진정성을 일깨울 수 있는 것이 결국은 음악이구나를 실감했다. 영화를 다 보고 나니 '국뽕이 차오른다'는 세간의 말처럼 나라를 지킨 이순신 장군의 목소리가 마치 내 가슴에 와닿는 것 같았다. 이 기분을 잊어버리기 전에 팀원들에 전화해 한산을 꼭 보라고 전했다. 아울러 가장 핵심공간에 학익진 하이라이트 퍼포먼스와 전시 체험 아이템을 추가했다. 마지막 상영시간에 영화를 본 것이라 몸은 피곤했지만, 결국 2%가 부족했던 그 무엇이 채워지는 느낌이었다. 그런 노력과 상관없이 프로젝트의 결과는 좋지 않았다. 하지만 최선을 다했기 때문에 후회는 없었다.

가끔 아무리 최선을 다해도 결과가 일치하지 않을 때가 있다. 나는 후배들에게 이렇게 말한다. 오래전엔 '행복의 한쪽 문이 닫히면 다른 문이 열린다.'는 식의 고전적인 답변을 했다. 실제로 어떤 일이 잘 안 되었기 때문에 그다음에 찾아오는 상황이 새로운 길을 열어준 결과가 된 적이 있지 않은가. 최근엔 '실력은 사라지지 않는다.', '지금 다가오지 않은 운은 나중에 부메랑처럼 돌아온다.'와 같은 말을 해준다. 성공한 작품만 뽑아서 모아 놓았다고 해서, 그 사람이 평생 매번 작품을 성공했다는 말과 같지는 않다. 하지만 이런 위로에도 소위 우등생으로 학교를 졸업한 친구들은 최선을 다했지만 실패를 맛본 경우, 처음에는 잘 받아들이지 못한다. 공부한 만큼 시험점수가 정확하게 비례했던 기억 때문이다.

나로부터 일어나지 않은 변수를 통제하기도 어렵고, 그 변수에 의한 의외의 결과도 받아들이기가 어려운 게 사실이다. 또 1 등을 한쪽은 자신이 왜 1 등을 했는지 알지만, 낙선이 된 입장에서는 왜 자신들이 선택을 받지 못했는지 대개 알지 못한다. 그래서 프로젝트 진행 과정에서 늘 진정성을 가지고 최선을 다해야 한다.

**누구에게 평가받지 않더라도 최선을 다했는지는 본인이 가장 제일 잘 안다.**

최선을 다했다면 결과가 안 좋더라도 희한하게 후회가 없게 된다. 최선을 다했으니 억울할 것 같아도 순간적으로 드는 그 감정은 진한 아쉬움이지 길게 이어지지 않는다. 그러나 최선을 다하지 않았을 경우, 결과가 안 좋으면 부족했던 부분을 채우지 않은 것이 후회가 될 것이고, 결과가 좋아도 혹시 나보다 더 최선을 다한 누군가의 운을 빼앗아온 건 아닌가 싶어 썩 개운치가 않다. 대충 쓰고 대충 그린 것은 결국 반드시 나중에 문제가 된다. 그리고 무엇보다 당락과 상관없이 잘된 제안서는 오래오래 레전드로 남게 된다.

< 멀티플렉스 호국관 전시설계 및 제작설치 제안서의 전시연출 >

• 맞은편 루프 무대에 북, 징, 나발을 상징하는 키네틱 조형물을 연출하고 비상, 동기, 전진의 3 단계로 학익진의 대열을 완성하도록 함.

• 중 2 층 복도에서 거북선처럼 뚫린 원형구에 미디어스코프를 조준하면 박진감 넘치는 사운드와 함께 루프 위 키네틱 조형물들이 반응하도록 함.

• 과거로부터 오늘까지 나라를 지켜온 호국정신의 총체를 상징하는 어른의 대형모형과 내일을 이끌어갈 어린이 모형이 마주 보게 하여 관람객과 함께 미래융합 퍼포먼스를 연출 하도록 함.

감성이 메말라 있는 상태에서는 감동을 제공하는 연출이 당연히 생길 리가 없다. 그런데도 이성만으로 작업을 하는 게 우리 현실이다. 지금은 자료가 없어서, 혹은 찾을 수가 없어서 못 본 다기보다는 홍수처럼 넘치는 정보의 방대함에 짓눌려 선택과 집중을 하지 못한다고 하는 것이 맞을 것이다.

누군가 인생에서 가장 감명 깊게 본 영화가 무엇이냐 질문을 하면, 자기 인생 전체를 돌아보고 답하는 게 아니라, 자기가 본 영화를 다 통 털어서 말하는 게 아니라, 고작 최근 3 개월 정도의 정보 양으로 통계를 내는 것이 인간이라고 한다. 그러니 우리가 지금 알고 있는 것은 지금까지 알아온 모든 것과는 전혀 다른 이야기인 것이다.

요즘은 지나간 영화나 드라마도 얼마든지 쉽게 찾아 구간별로 확인해 볼 수 있다. 허리우드의 미래 SF 영화도 미래 존을 연출하거나 기후변화, 존재하지 않는 공간을 연출할 때 꿀 팁이다. 뮤지컬 무대 연출도 제한된 공간에서 가장 효율적으로 환경을 바꾸는 것이기 때문에 뜻밖의 아이디어를 채집해 놓을 수 있다. 누군가 먼저 내가 하고 있는 고민을 풀어서 이야기를 만들었다는 것이 얼마나 고마운 일인가.

30

# 더 할 수 없는 경우의 수를 펼쳐본다

< 기획자의 실무_4 >

**떠올릴 수 있는 모든 의미를 떠올려보고, 모아서 내려놓는다.**

태권도 복합체험 시설 제안을 할 때였다. 무주의 태권도원에 태권도 인이 아닌 일반인을 대상으로 건립되는 야외 생활체육형 시설이었다. 생활체육으로서 태권도의 가치는 신체단련을 통한 자기완성에 있다. 어떻게 하면 자기완성이 되는 것일까. 야외시설을 신체, 두뇌, 감각, 감성의 레벨을 높일 수 있는 완벽한 도전코스로 계획하고자 하였다. 자기완성의 길이라는 태권도의 목표를 일반인의 체험과 연결시키고 싶어서였다. 그런데 완벽한 도전코스는 대체 어떻게 구성한단 말인가. 도전도 쉬운 일은 아닌데 완벽한 도전이라니, 'Perfect Challenge'라고 멋지게 적어 놓고 나는 완벽을 뒤지기 시작했다. 체험자 입장에서 '완벽한 도전'이 되려면 도전이 아닌 '완벽'에 초점을 맞추어야 했다. 이럴 때 완벽한 경우의 수를 있는 대로 따져보는 것이다. 우선 완벽해질 수 있는 상황이나 행동의 결과를 있는 대로 나열해 본다.

문제를 해결한다면 **완결完結**의 의미이다.

빈틈없이 채운다면 **완벽完璧**하다는 의미다.

마침내 어떠한 결과를 만들었다면 비로소 **완성完成**이라 말한다.

임무를 달성했다면 **완수完遂**했다고 한다.

끝까지 달렸다면 **완주完走**라고 한다.

모두 갖추어져 모자람이 없을 때 **완전完全**하다고 칭한다.

완전히 끝마쳤을 때 **완료完了**했다고 한다.

이로써 인간이 할 수 있는 완벽한 도전은 '완결, 완벽, 완성, 완수, 완주, 완전, 완료'로 나눌 수 있었다.

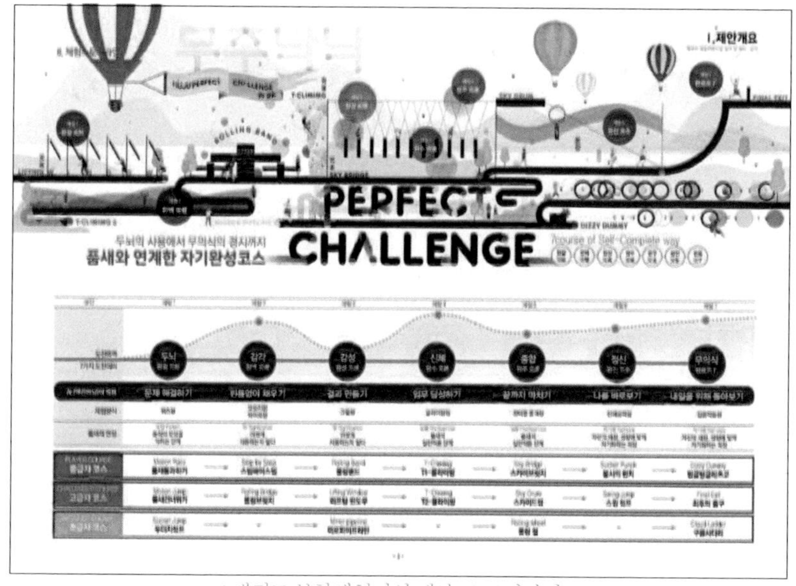


< 태권도 복합체험시설 제안_스토리라인 >

• 완벽한 도전을 '완결, 완벽, 완성, 완수, 완주, 완전, 완료'의 7개 도전 코스로 구성

• 7가지 도전의미를 두뇌, 감각, 감성, 신체, 종합, 정신, 무의식의 도전 영역과 연결

• 7가지 도전에는 문제해결하기, 빈틈없이 채우기, 결과 만들기, 임무 달성하기, 끝까지 마치기, 나를 바로 보기, 내일을 위해 돌아보기의 구체적인 목표로 펼치기

스토리라인을 작성할 때는 주어진 주제 하에서 원하는 최고치의 목표를 향해 조금은 무리하다 싶을 정도로 세분화시켜 보는 것이 좋다. 전시는 한번 재생되면 끝까지 시청하게 되는 영화나 드라마 같지 않고 자신의 발걸음으로 공간을 움직여 다녀야 하기 때문에 얼마든지 중간에 이탈하기 쉽다. 즉, 기획자의 생각처럼 모든 전시물을 다 관람하지 않을 수 있다. 그렇기 때문에 전체 스토리 하에서 기승전결의 구조는 가지되, 다시 하나의 존, 한 개의 아이템에서도 완결된 이야기가 있어야 한다.

우리가 박물관이나 흥행전시를 관람할 때를 냉정히 돌아보자. 도슨트가 없거나 단체관람을 제외하고는 관람자는 자신이 보고자 하는 전시물 앞에서만 원하는 시간만큼, 원하는 방식으로 관람한다. 그리고 어떤 전시물은 이해하지도 못한 채, 아니 보지도 않은 채 퇴장할 때도 수두룩하다. 그러므로 전시기획자가 설정한 주제 및 스토리라인이 의도대로 전달되려면 유치원생들 대상의 강제적인 주입식 단체관람 방식 밖에 없을 것이다. 전달하고자 하는 이야기가 백 프로 전달되지 않을뿐더러, 전달되었다고 할지라도 사람마다 이해나 공감, 감동의 수준까지 가닿기는 어렵다. 즉, 주최자와 제작진이 의도하는 주제, 원하는

스토리대로 관람하길 바란다면 애초에 평면적인 러프한 콘티가 아니라 세밀하고 입체적인 시나리오가 필요한 것이다.

**기획자는 선택한 단어가 더 나눌 수 없는 마지막이 될 때까지 치열하게 다듬어야 한다.**

이에 더해 자신 앞에 놓인 단어가 내가 알고 있는 그 뜻만으로 통용되는지 반드시 확인해야 한다. 나에게 비상은 뜻밖의 긴급하고 위급한 상황에서의 '비상非常'이 먼저인데, 다른 이에게 비상은 가수 임재범의 '비상飛上'으로 높이 날아오르는 것 일 수도 있다. 마찬가지로 내가 모르는 다른 뜻이 있다면 실제로 어떻게 쓰이는지 찾아내어야 한다.

전력문화관을 제안한다고 해보자.

여기서의 전력은 전류에 의한 동력(動力)을 의미하는 전력電力일 것이다. 하지만 전력을 에너지로 보자. '우리 올림픽 여자 배구팀이 전력을 다하는 경기로 국민에게 감동을 선사했습니다.'라고 할 때 전력全力은 어떠한가. 월드컵 축구 경기를 앞두고 '객관적인 전력은 우리가 한수 아래입니다.'할 때 전력戰力은 어떠한가. 전력을 늘 일상 속에서 존재하는 에너지라고 넓게 본다면 전류에 의한 전력電力, 모든 힘의 전력全力, 전투하는 힘의 전력戰力 모두 전력문화라 할 수 있을 것이다.

대한민국이 선진국으로 진입함에 따라 더욱 한글에 대한 위상이 높아지고 있다. 한국을 알리는 여행가이드 책자에는 이제 강과 산을 river 와

mountain 으로 굳이 번역하지 않고 발음 나는 대로 표기한다. 지난 세대가 고민했던 영문번역이나 한글에 대한 열등감, 한자에 대한 부담감 따위는 이제 어떤 문제도 될 수 없는 시대가 왔다. 기획자가 어떻게 표현하든지, 아무도 틀렸다거나 뭐라 할 사람은 없다. 정확한 의도만 있다면 얼마든지 자신을 가지라고 당부하고 싶다.

31

# 단어를 영어, 한자 등 3개 이상의 의미로 만들어본다

< 기획자의 실무_5 >

전략이나 공약을 만들 때 좀 더 쉽게 오래 기억되도록 텍스트를 가공하는 것과 같다.

**기획자는 우선 문장으로 상대를 설득할 줄 알아야 한다.**

아무리 어려운 기술적 용어가 포함된 글이라도 문장으로서 완결성을 가지지 않았다면 기획자로서 기본적인 소양을 잘못 배운 것이다. 최근엔 비주얼 자료가 중요해지다 보니 텍스트도 제안서 안에서 그림의 일부로 치부되곤 한다. 세세한 텍스트는 대충 한번 쓰고 끝까지 수정 안 하는 기획자도 많이 보았다. 자세히 읽어보면 비문 투성이고 '추진함을 진행한다.', '구성함을 연출한다' 식의 동어반복으로 길게 늘어뜨리는 습관을 가진 친구들도 있다. 모든 것은 하나의 문장을 완성하지 못해 벌어지는 일인데, 그 심리에는 자신이 선택한 단어에 대한 확신이 없기 때문이다. 기획자는 비슷한 말잔치로 에두르기보다 바늘로 목표한 지점을 칼같이 정확하게 꽂아야 한다.

우리가 평소에는 따로 연습을 하기가 어렵고, 실전에 들어가야 해당프로젝트의 과제를 놓고 실습을 해 볼 수 있지만, 지나간 과거의 사례로 생각의 과정을 정리해보고자 한다.

야간 경관 명소화를 위해 안동에 있는 구시장의 장소브랜딩 및 경관디자인 제안을 할 때였다. 전통시장이라는 게 늘 지역민에게는 익숙하지만 최신의 매체를 적용해 젊은 층을 끌어들이기엔 한계가 있다. 먼저 장소에 대한 브랜딩이 젊은 층이 원하는 방식이어야 한다. 시장에 간다는 것은 '거리'를 찾는다는 뜻이다. 먹거리, 볼거리, 즐길 거리, 살거리, 등등을 기대하면서 오늘은 어떤 구경을 할 수 있을까 싶어 늘 크고 작은 기대감을 가지고 말이다. 그 '무언가'를 썸싱(something)으로 보고 '시장골목'에서 썸밸리(some valley)를 떠올렸다. 골목은 영어로 Alley 이지만 신도시에 주로 테크노밸리가 형성되므로 비슷한 어감으로 밸리를 가져왔다. 그리하여 안동 구시장을 <썸 타는 시장골목, 안동 썸 밸리: Andong Somevalley> 라는 새로운 브랜드로 제안했다. 여기서 발음대로의 썸은 'thumb'이라는 뜻의 최고, 엄지를 의미하기도 했는데 이는 안동 구시장의 찜닭거리가 소문대로 맛이 엄지 척(thumb up)이라는 중의적인 의미도 담긴 표현이었다. 하지만 시장이라는 장소브랜딩은 텍스트 자체의 의미도 중요하지만 소리 내어 부르는 어감도 친근해야 하기 때문에 전면으로 강조하는 표현은 최종적으로 some 을 택했다.

정리를 해보자면 우선 액면 그대로 안동의 최고 시장골목이라는 뜻을 나누어서 Andong(안동) + thumb(최고) + alley(골목)이라 나열해 놓는다. 여기서 thumb 이라는 단어를 한글로 썸이라 바꾸고, 다시 썸을 친근한 의미의 some 으로 바꾼 것이다.

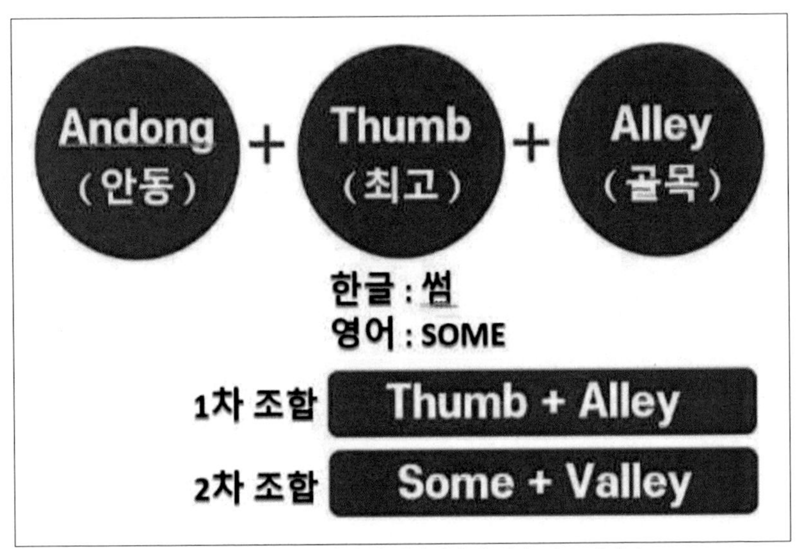

< 안동 구시장 장소브랜딩 및 경관디자인 제안_장소 네이밍 >

'thumb'을 좀 더 알려진 'some'으로 바꾸자, 부르기도 쉽고 훨씬 더 유연하게 의미를 확장할 수 있었다. 다음은 여기서 머무르지 않고 some으로부터 확장된 단어 sometimes, someday, someone, something을 가져와 시장골목에 추억거리, 살거리, 볼거리, 즐길 거리의 구체적 행위와 연결한다. '썸 타는 시장골목, 안동 썸 밸리'라 하였으니 대 주제인 '썸'을 다시 여러 개의 소주제 '썸'으로 풀어 각 공간의 이야기를 연결하는 것이다. 가로 세로 퍼즐을 맞추듯이 이러한 작업이 기계적으로 무리 없이 진행된다면, 그리고 그 작업 시간이 괴롭지 않다면 당신은 기획이 적성에 맞는 기획자 일 것이다.

< 안동 구시장 장소브랜딩 및 경관디자인 제안_스페이스 콘셉트 >

비슷한 단어의 반복이나 나열 같아 보이는 이 작업은 단어와 문장의 위계에 대한 훈련이 기본적으로 탄탄하게 되어 있어야 가능하다. 예를 들어 지금 과일의 종류인 수박, 사과 말고 딸기, 바나나에 대한 리스트 업을 하고 있는데 혼자 다른 위치에서 과일이 아닌 커피, 아이스크림, 케이크 같은 디저트를 이야기하고 있다고 해보자. 언뜻 크게 보면 같은 음식이라는 점에서 딸기와 아이스크림이 비슷해 보이지만, 하나는 과일의 종류이고, 하나는 디저트의 종류이니 완전히 다른 이야기라는 것을 알 수

있다. 공을 던지는 것은 같으나 떨어지는 지점은 조금씩 다르게 방향을 통제하는 것이다.

이렇듯 기획자는 간격이 촘촘하게 짜인 씨줄과 날줄의 단어 신경망을 보유하고 있어야 미세한 차이로도 다른 표현을 할 수 있다. 어쩌면 결국은 같은 말을 여러 개의 방법으로 달리 표현하는 사람이 기획자일 수도 있다. 다시 말해 기획자는 생각을 줄이고 함축하여 하나의 단어로만 표현하면 안 된다. 기획자는 시인이 아니다. 단어의 절대성보다는 융통성이 강해야 한다.

결론은 하나 일 수 있어도 표현만은 길고 긴 문장으로도, 전략을 함축한 다이어그램으로도, 복잡한 표로도, 일러스트나 이미지 합성으로도 해 낼 수  있어야 한다. 그중에 화려한 표현의 기초가 되는 것은 바로 콘셉트를 시나리오 작성하듯 체계적으로 세분화하여 가이드라인을 작성하는 일이다.

'광화문발상'이라는 단어가 있다고 해보자. 이 단어도 주어진 미션에 따라 만든 합성어인데, 쉼표를 어디 찍느냐에 따라 한자는 전혀 다른 의미를 지니게 된다. 우선 '광화문 발상發想'이라고 했을 땐 누군가가 광화문이라는 장소에서 떠올리는 생각을 의미한다. 혹은 광화문이라는 장소를 의인화, 주체화하여 광화문 지역에 살거나 그 지역을 기반으로 활동하는 사람들이 하는 생각 정도가 될 것이다. 그러나 '광화문발, 상:

光化門發, 想'이라고 하면 어떨까. 같은 단어지만 모두 한자로 바꾸고 쉼표를 상想 앞에서 끊어주면 한자인 '상想'의 의미는 배로 커진다. 여기서 주제 확장성의 실마리를 찾는 것이다.

광화문이라는 장소는 대한민국의 정체성이자 서울의 상징이다. 광화문은 국가의 행사가 개최되는 열린 마당 이기도하다. 소통과 부활의 통로로서, 광화문에서 역사와 오늘을 잇고, 세계를 이끌어갈 빛의 미소를 발신하고자 광화문에서 출발하는 이미지라는 의미로 <광화문발, 상: 光化門發, 想> 이라는 콘셉트를 도출하였다. 사업 명을 언급하지 않아도 광화문에서 연출되는 미디어 아트와 같은 시각적인 이벤트를 연상할 수 있는 주제이다. 발상(發想)을 발, 상(發, 想)으로 바꾼 발상으로 또 하나의 주제가 완성되었다. '광화문발'은 오래된 대중가요의 노래가사 '대전발 0 시 오십 분'을 연상시킨다. 대전에서 출발한다는 의미이므로 광화문발 역시 광화문에서 시작한다는 의미가 강조된다.

**하나의 단어를 두드리고, 뒤집어보고, 벗겨보고, 갈라보고, 겹쳐 보다 보면 기획일이라는 것이 정말 재미날 때가 있다.**

지금 내가 하고 있는 일이 전에 없이 어려운 것 같은데 그 어려움을 이겨낼 수는 있을 것 같은 느낌, 그리고 마침내 스스로 이겨내었을 때의 느낌, 그 느낌이 반복되다 보면 어려워 보이는 일을 해결하는 재미가 쏠쏠하다는 뜻이다.

32

# 해당 학문을 전공한 대가를 찾아가 물어본다

< 기획자의 실무_6 >

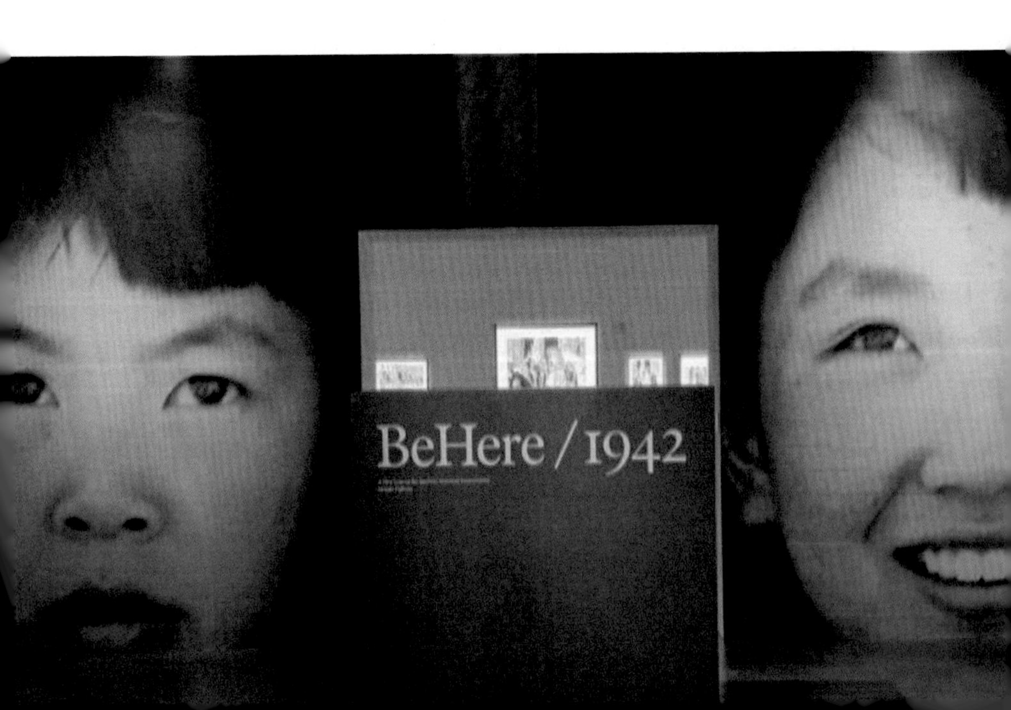

98 년도 즈음 내가 전시기획이라는 일에 아주 많이 지쳐있을 때였다. 생태 및 환경 전시관 건립 건으로 자문을 받아야 할 일이 생겼다. 당시에는 전시 기획자들이 콘텐츠를 구성하기 전에 필히 해당 분야 교수에게 자문을 받는 것이 기획단계 필수 과정 중 하나였다. 그땐 교수들이 주로 심사 위원이었고, 그들은 전시 전문가들을 그다지 높게 평가하지 않았다. 그래서 기획자인 나도 교수들을 부러 만나고 싶지 않았던 기억이 있다. 그 분야에 조언을 해줄 교수를 찾던 중 당시에도 유명했지만 지금은 더 유명한 최재천 교수를 만날 기회가 있었다. 그땐 최재천 교수가 서울대학교 생명과학부 교수 재임 시절이어서 서울대로 향했다.

**질문의 수준이 곧 질문자의 수준이다.**

기획자는 자신이 공부한 만큼만 질문할 수 있다. 기획자는 많은 프로젝트를 진행해 왔기 때문에 모든 분야에 걸쳐 넓지만 얕은 지식을 쌓아 놓은 사람들이다. 그러나 전공 교수와 미팅을 하려면 어느 정도 이야기를 나눌 수준이 되어 있어야 한다. 바쁜 교수들은 자문받으러 온 친구가 얼마나 열정을 다해 공부했는지 금방 알아차린다. 그래서 질문하는 걸 보고 나서 자신의 보따리를 푼다. 교수와 만나서 오래 시간을 가졌다면 그 교수는 기획자로부터 동기부여를 받았다는 의미로 이해해도 된다. 교수들은 대체로 자기 분야에 대해 이야기하는 것을 좋아한다. 그러나 이야기해도 못 알아듣는 사람하고는 한마디도 하고 싶어 하지 않는다.

당시 최재천 교수의 방에 들어갔을 때 교수님의 얼굴은 잘 보이지도 않았다. 인상 깊었던 것은 책상의 양 끝에 좌우로 교수님의 머리높이까지 문서들이 쌓여 있었고 회의테이블에도 흡사 서점처럼 책들이 즐비했다는 점이다. 물론 모두 내용이 기억나진 않지만, 도시에도 나무가 필요한 이유를 아주 진지하게 자신의 가족이야기처럼 풀어놓으셨다. 그렇게 바쁜 와중에 자신들의 필요에 의해 불쑥 찾아온 내가 무엇이 반가웠겠는가. 하지만 기후변화나 환경 문제에 열정을 가진 내가 기특했는지, 전시관이 잘되었으면 하는 마음 때문이었는지 꽤 오랜 시간 인터뷰를 허락해 주셨다. 덕분에 교수자문에 대한 편견도 사라진 날이었다.

나는 그 이후로, 아무리 유명하고 바쁘고 소위말해 장안에 대가니 석학이라고 하는 분도 실제 만나서 진심과 열의를 보여드리면 마음의 문을 열고 나보다 더 열심히 프로젝트의 본질에 도움을 주려 한다는 사실을 알게 되었다. 하다가 도저히 혼자 해결이 안 되면 그 분야의 대가를 찾아가시라. 진심과 열의는 사실상 사전에 많은 공부를 해놓아야 겨우 드러나기 마련인데 일단 공부한 것을 검증도 받을 겸 말이다. 교수들은 질문자의 질문의 온도와 그 깊이를 보고 이메일로만 답해도 될 것을 얼굴본 김에 자료를 주고 싶어 한다. 만나줄 것 같지 않다는 생각은 연락을 해보고 좇아 간 다음 해도 늦지 않다. 그리고 만나주지 않았다고 손해 볼 것도 없다. 그 교수가 아니면 다른 이를 찾으면 된다. 질문을 준비하는 과정에서 이 질문을 누구에게 해야 답이 나오는지 깨닫기 때문이다.

**결국 기획자는 누구에게 질문을 해야 답이 나오는지도 스스로 알아내어야 한다.**

물론 작업시간은 늘 빠듯하고 때로는 자문이 독이 될 때도 있다. 자문이 어느새 정해진 답이 되어 창의적인 생각을 가로막을 수 있기 때문이다. 그러니 초기 단계보다는 어느 정도 내가 생각이 정리된 다음 구상안의 확인차 자문을 활용하는 것이 좋다. 세월이 한참 흘러 어쩌다 모교에 계신 전공 교수님을 만나러 갈 일이 생겼다. 처음엔 전화로 이것저것 질문을 했는데 나의 적극적인 구애로 드디어 만남이 성사된 것이다. 그날은 함박눈이 내려 시내 교통상황이 엉망인 날이었다. 그는 오래된 건물 조용한 연구실에서 마치 박제된 사람처럼 한 분야의 학문을 30 년째 공부하고 있었다. 학교는 우리에게 말하지 않아도 겸손함을 잊지 말라고 늘 거기에 존재한다.

이러저러한 내용들을 공부했는데 아무래도 짧은 시간 동안 전체를 파악하려니 감당이 되질 않아 급한 마음에 해당 분야 전문가이신 교수님을 찾아왔다고 고개를 숙여야 한다. 그리고 갈 때는 준비한 것을 선별하려들지 말고 지금까지 공부한 모든 것의 결과를 가져가야 한다. 항상 강조하지만 회의나 만남에서는 그날 이야기 하려는 주제보다 훨씬 더 많이 앞질러 준비해 가져가야 하는 것이 기획자의 자세이다. 교수들은 자기 앞에 온 사람이 얼마나 아는 가를 살펴본 후 그 정도에 맞게 답한다.

나름의 점검이 끝나 학문에의 순수와 진정성만 입증된다면 사심 없는 교수들의 경우 대개 기대이상의 자문을 해준다.

"제가 더 배운 것이 많네요."

이 분야의 최고 연구자인 한 사람을 설득시키고 공감을 받아내었다는 경험은 기획자에게 말로 다 할 수 없는 자부심을 갖게 한다. 그는 30 년 연구했지만 나는 한 달도 채 하지 않은 고민 아닌가. 학번을 따져보니 그리 많이 차이가 나지도 않아 동시대를 살았던 동창으로서 그 시절을 함께 소환하기도 했다. 그렇게 교수님과 나는 창밖의 눈을 바라보며 두 시간 이상 대화를 나누었다. 내가 구상한 기획안을 처음부터 끝까지 단 한 사람에게 설명할 수 있는 기회는 많지 않다. 우리는 이전에 전혀 알지 못했던 사람들이고, 오늘 박물관 때문에 처음 만난 사이지만 같은 주제로 오래 고민해 온 동지처럼 느껴졌달까. 다음은 함께 고민하고 도출해 낸 국립여성사박물관의 전시주제이다. 과거로부터 험난한 여성의 길을 걸어왔으며, 오늘도 함께 걸어보며, 앞으로도 계속 걸어갈 것이라는 과거, 현재, 미래의 의미를 담자고 결론을 내리니 마치 곧 박물관이 개관이라도 할 것 같은 설렘이 공감대로 내려앉았다.

< 국립여성사박물관의 전시주제 >

고등학교 음악시간에 실기를 평가하는 시간이 있었다. 한 사람씩 음악선생님의 방에 들어가 오 솔레미오를 부르고 나오는 미션이었다. 선생님은 좁은 방에 앉아 계시고 나는 문 열고 들어가 선 채로 바로 선생님의 시선을 의식하며 노래를 할 생각을 하니 앞이 캄캄했다. 그런데 연습에 연습을 거듭하고 그 자리에 서보니 친구들도 의식하지 않고 아무것에도 영향을 받지 않아 내가 연습했던 그대로 노래를 할 수 있었다. 그리고 밀폐된 공간에서 더욱 내 음정과 목소리에만 집중할 수 있었다. 시인은 독자가 단 한 명이라도 그 한 명을 위해 시를 쓸 수 있다고 했다.

나의 기획을 처음부터 끝까지 오로지 나 혼자서 다 쏟아낼 수 있는 시간, 단 한 명 앞에서 노래를 하고, 단 한 명만이 읽을 수 있는 시를 쓴다 생각하고 자문을 받아보시라. 다 말해보고 나서 돌아와 드는 생각, 그것이 진짜 당신의 기획일 것이다.

33

# 어디서 본 것 같은데 그것보다는 새로워야 한다

< 기획자의 실무_7 >

사람들은 각자 자신이 알고 있는 수준에서 상대방이 언급한 단어를 이해한다. 비슷한 교육환경에서 같은 과정, 같은 방식으로 배운 사람들이 전혀 새로운 용어로 사람들과 소통하지는 않는다. 거기다가 우리나라는 개인 손바닥 안에서 같은 정보를 공유하게 되는 시간이 세계에서 가장 빠른 나라에 속할 것이다. 어떤 용어를 나만 모르는 것 같은 그 기분을 도저히 참을  수가 없을 것이다. 우리는 일상생활에서도 너무 오래전에 사용하던 문구나 단어를 소환하면 혹시 꼰대취급을 받지 않을까 싶어 스스로 사회적 단어 사용에 자기 검열을 하고는 한다.

제안서 기획은 평가받는 시점에 가장 대중적으로 통용되고 있는 용어들로 이루어져야 한다. 당연한 말 같지만, 미장원이 미용실이 되고 아무리 헤어숍이 되어도 여전히 현장에선 너무나 자연스레 회베, 가베, 데나오시, 메지, 우라 같은 일본어가 사용되고 있는 것이 우리 현실이다. 하지만 너무 대중적이어서는 안 된다. 전시는 일반인이 관람하지만 제안서는 전문가가 작성하고, 평가자가 심사하기 때문이다.

관공서에서 작성하는 공문서는 지금도 변함없는 양식과 특유의 어투가 존재한다. 그러나 일반기업에서 창의적인 내용을 제안하는 기획서는 대략 십 년 단위로 문어체의 텍스트들이 변화해 온 것 같다. 90 년대까지는 한자를 섞어서 쓰다가 2 천 년대부터는 영어 단어를 자유로이 병행시키고, 2010 년 이후로는 만들어낸 조어, 합성어를 무난하게 사용하게 되었다. 스마트폰이 일상화되면서 전 국민이 디지털 용어에 익숙해졌고, 면대면

대화나 책자 속 글이 아닌 온라인 토크에서 사용되는 텍스트들도 주류문장처럼 인식되기 시작했다. 간단한 이모티콘이나 해시태그가 대표적인 예 일 것이다.

또 하나 코로나 이전에도 간간히 시행되던 온라인 제출방법이 팬데믹을 통과하면서 비대면 발표와 함께 더욱 자리를 잡게 되었다. 따라서 제안서 텍스트도 '출력용'만이 아닌 '화면용'을 더 고려하게 되었다. 화면에서는 작은 글씨보다 보여주고자 하는 비주얼을 더 강조하게 된다. 텍스트의 뜻도 중요하지만 어떤 그림으로 전달되는지가 더 중요하게 된 것이다. 신조어에 해당하는, 트렌드를 반영한 마케팅 용어들은 설명하지 않으면 바로 그 뜻을 파악하기 어려운 것들도 많아졌다. 다행히 고객에 해당하는 우리 관람객들은 사전지식의 수준이 높다. 하지만 관람객은 결과만 볼 수 있지 우리의 과정을 공유하지 못한다. 늘 강조하지만 제안서를 평가하는 것은 심사위원이고 그들을 설득해야 그 내용이 관람객으로 전달된다. 그들에게 비슷한 단어들의 파생으로 어디서 들은 것 같고 본 것 같은 느낌만 준다면 설득에 실패한 것이다.

기획자에게는 어느 정도 새로운 것이 정말 새로운 것인지에 대한 현실감각이 있어야 한다. 그러니까 전혀 듣도 보도 못한 새로움이 아니라, 어디서 들은 것도 같고 본 것도 같은데 그보다는 조금 더, 어느 정도 고개를 끄덕일만한 새로움, 듣는 이로 하여금 소외감을 불러일으키지 않을, 딱 한 발자국만큼의 새로움이어야 한다. 너무 앞서가면 외면받는다.

< 판교 제 2 테크노밸리 창업생태계 홍보 및 소통교류 멀티플랫폼 제안_콘셉트설정 >

<파노티카: PANOTICA>는 판교 제 2 테크노밸리 창업생태계 홍보 및 소통교류 멀티플랫폼의 콘셉트였다. PANOTICA 는 Panopticon for All 의 약자인데, 먼저 판옵티콘은 그리스어로 '모두'를 뜻하는 'pan'과 '본다'는 뜻의 'opticon'이 합성된 용어였다. 영국의 공리주의 철학자 제레미 벤담이 죄수를 효과적으로 감시할 목적으로 고안한 원형감옥을 지칭하기도 한다. 그러니까 PANOTICA 는 모두를 위해 높은 곳에서 넓게 둘러본다는 직접적인 의미를 지니게 된다.

여기서 중요한 지점이 있다. 판옵티콘은 기존 단어이지만 PANOTICA 는 내가 고안한 콘셉트라는 점이다. PANOTICA 를 만들 때 가장 먼저 떠오른 어감은 'PAX AMERICANA: 팍스 아메리카나' 였다. 미국이 주도하는 세계 평화를 일컬어 팍스 아메리카나라고들 한다. 이 용어가 일반적으로 사용되기 시작한 것은 제 2 차 세계대전이 끝난 1945 년 이후라고 하니 들어보지 않은 사람은 없을 것이다. 혹시나 부정적인 뜻이 있을까 하여 찾아보니 팍스는 로마 신화에서는 평화의 여신이고 라틴어로 평화를 뜻하는 단어라고 했다. 완전히 새롭진 않지만 그래도 뜻은 궁금해지는 파노티카로 콘셉트를 정하고 공통어로 확장할 수 있는 PAN(모두)을 가지고 PAN COMMA, PAN EXMA, PAN HUMA 의 세 공간을 나누었다. 각각 교류, 전시, 소통 중심 공간을 연출하고 기업, 기관, 시민 모두를 다 수렴하고 조망할 수 있는 창업지원 플랫폼을 제안하였다.

어디서 본 것 같은데 그것보다는 새로워야 한다.

예전엔 공무원들이 최초를 싫어해 국외 해당사례가 있는 것만 불안해하지 않던 시절도 있었다. 이제 우린 충분히 새로워도 되지만 기획자는 고객과 발주처와 심사위원을 리드할 때 그들이 알고 있는 세상보다 너무 멀리서 그들을 손짓하지는 말아야 할 것이다.

34

# 세상에 없는 말을 지어서 원래 있던 말처럼 떠든다

< 기획자의 실무_8 >

이번에는 세상 사람들을 향해 새로운 생각을 처음으로 입 밖으로 내게 되는 순간, 그 순간 기획자로서의 태도에 대해 정리해 보자.

회의나 보고는 기획자의 일상이다. 그런데 듣던 중 자신들이 안 들어본 단어가 나왔을 경우 이런 질문을 할 때가 있다.

**"그런 말이 있어요?"**

"네, 있는 말입니다. 이것은 제가 한 말이 아니고요, 영국 캠브리지 대학의 경제학과 교수 논문에 실린 연구입니다. 노벨 경제학상을 받은 행동 경제학자 대니얼 카너먼이 <생각에 관한 생각>에서 밝힌 내용이죠. 뇌 과학자들에 의하면 인간의 뇌는 이렇다고 합니다."

다음 내용이 끊어지지 않고, 내가 말하고자 하는 순서와 의도대로 설명을 마치기 위해 나는 그렇게 말한다. 거짓말을 하라는 것이 아니라 일단 그렇게 이어 붙이고, 상대 질문에 답하느라 방향을 잃어버리진 말라는 취지다. 관련 정보를 공부하고 새로운 내용을 도출하다 보니 내 방식대로 말을 만든 것인데 그게 무엇이 문제란 말인가. 앞서도 언급했듯이 전문가는 이것이 무엇이라고 정의할 수 있는 사람이다. 기획자는 무엇이든 매번 자기 스타일대로 새롭게 정의하고 그것을 알리는 사람이다. 그러니 절대로 상대방이 알고 있지 못하는 단어 몇 마디 했다고 주눅 들거나 틀렸다 생각하면 안 된다. 세상에 내가 처음으로 만든 것이니, 지금까지 없는 말들이니 모르는 게 당연하다. 상대의 낯섦에 당당하기를 넘어 즐기는 단계까지 가야 한다.

요즘은 구글링으로 바로 지식을 검색할 수 있으므로 틀린 정보를 말할 수도 있다. 그럴 땐 실수를 바로 인정하라. 아, 제가 착각을 했나 봐요. 빠른 인정은 결코 전문가다움을 해치는 태도가 아니다. 하지만 내 생각으로 빚어낸 새로운 용어들은 검색으로도 확인되지 않으니 확신을 갖고 밀고 나가야 한다. 세상에서 내가 제일 먼저 그렇게 짓고, 그렇게 호명하겠다는데 누가 뭐라 할 자격이 있는가. 경력이 쌓이다 보면 내가 그 분야 학자가 아니라서 그렇지 거의 틀린 말도 하지 않게 된다. 아니 어쩌면 더 정확하다.

기획자는 본인 생각이든 남의 생각이든, 그 자리에서 자신 있게 이야기해야 한다. 가끔 남의 생각이면서 본인 생각인 것처럼 말하는 사람들이 있는데 그건 나쁜 버릇이다. 함께 빚어서 커진 생각을 누군가 대표로 이야기할 때는 굳이 짚고 넘어가지 않아도 된다. 그땐 우리의 생각인 것이다. 그런데 회의할 때, 일상 대화 시 누군가의 의견을 잔뜩 비판하고 반대해 놓고서, 정작 그들 없는 다른 곳에 가서는 똑같은 내용을 마치 자기가 오래 고민해 온 척, 떠벌린 적은 없는가. 신입시절 임원을 따라다니다 자신이 부하 직원을 불러다 혼 줄을 내놓고선 다른 회사에 가서 천연덕스럽게 요즘 이런 방식이 유행이라고 떠드는 상사를 본 적 있다. 특히 아이디어의 핵심 부분, 개인의 창의성이 오롯이 담긴 결과를 가지고 자기 생각 없음을 면피하려 내세우는 행위. 그 또한 도덕적이지 않은 기획자가 되는 지름길이다. 이런 이들은 언제나 더 노력하고 더 괜찮은 아이디어를 제시한 누군가의 생각을  자신의 생각인 것으로 인식하려는 버릇이 있다. 회사의 대표나 팀장이 되어 팀원들이 만든 안을 대표해서 전달할 때와는 결이 다르다. 한 사람은 자기 역할을 한 것이고, 한 사람은 자기 역할을 못한 것이므로 절대 근절해야 할 악습이다. 사실 이 방법이 기획자를 성장시키지 못하는 이유는 원래 자신의 머리에서 우러난 생각이 아닐 경우 시간이 지나면 금방 잊어먹게 되어 있기 때문이다. 그러므로 말을 하다가도 내가 그 생각의 원작자가 아닌 것을 알려야 할 시점에는 꼭 언급을 하는 것이 맞다.

내가 언급하는 것은 다른 직원이 생각해 낸 것을 내가 한 것처럼 말해도 된다는 뜻이 아니다. 순전히 내가 만든 생각을 부연할 때, 그러나 내 경력이나 회사의 규모나 자리의 성격상 상대에게 신뢰를 주지 못할 상황을 만들지 않기 위해, 그 순간에도 확신에 찬 자세로 임해야 한다는 것이다.

초보시절 기획자는 높은 직책을 가진 상대사 임원이나 심사위원들 앞에서 당황할 때가 많다. 바로 생각지도 못했는데 생각의 주체에 관한 질문을 받을 때이다. 내부에서 상사나 대표가 물어본다면 편하게 답할 수 있지만 외부에서 더군다나 초면이라면 어찌 답하는 것이 좋을까. 물론 가장 좋은 답은 정직한 답변일 것이다. 감탄사와 함께 이 생각은 누가 한 것이냐 물어본다면 아이디어가 좋으니 최초 발상자가 궁금한 것이다. 비슷한 것 같지만 고개를 갸우뚱하면서 당신이 한 생각이냐 묻는다면 이는 사실 애매하다. 초보인줄 알았는데 너 꽤 하는구나, 생각을 많이 했구나,라는 칭찬의 뜻이 첫 번째다. 혹은 어디 있는 생각을 가져다가 말하는 것은 아닌지 확인하고 싶은 경우도 있다.

이 모든 종류의 질문은 내가 경력이 많아 상대가 무한신뢰를 하고 있다면 사실 그런 질문은 거의 하지 않는다. 어느 자리에 가도 나의 말을 경청하지 아무도 쓸데없는 질문을 하지 않을 때, 그 시기가 왔다면 당신은 전문가가 된 것이다. 듣는 사람들은 자신 있게 말할 때 더 수용하고 싶은 마음이 생긴다.

**기획자는 세상에 없던 말을 만드는 사람들이고 처음 그것에 이름을 붙여 호명해 주는 사람이다.**

내가 故이어령 교수였거나 유홍준 청장이었다면 절대로 물어보지도 않았을 것이다. 이들 생각에 의심을 품는 사람들이 거의 없을 것이기 때문이다. 원래 이름 떨친 작가가 만들어 놓으면 쓰레기도 작품이 되고 다 그럴만한 이유가 있을 것이라 배려해 주는 이치를 잘 기억해 두자.

그러므로 당신이 무언데 그런 말을 지었냐 하는 표정을 보았다면 그땐 자존심 상해하지 말고 내가 이런 일을 하는 사람이다,라는 표정으로 당당히 미소 짓기 바란다. 기획자가 나인데 그럼 누가 한단 말인가요?

< 웅진백제역사관 리모델링 제안_전시주제 >

<고마나루나>라는 콘셉트를 말했을 때 발주처 대표는 내게 물었다. 한실장이 만든 거야?

'고마나루 Gomanaru'는 '곰나루'라는 뜻으로 웅진(熊津) 공주의 옛 이름이자 금강변 나루터 일대를 가리킨다. '마루나'는 꼭대기라는 의미의 순수 한글이다. 그러므로 고마나루에 마루나를 더하면 고마나루나가 되는데 이것을 동아시아의 문화허브인 新항구라 불러보았다. 가장 높은 곳에서 멀리 내다보고 개방과 포용, 확산의 선진 정신을 선도한 백제 특유의 정체성을 의미한다고 말이다. 고마나루에 마루나(꼭대기)를 더한

新항구 고마나루나. 웅진백제 역사관의 재개관에 맞추어 새롭게 부활한 항구로 거듭나기를 기대하면서 제안한 전시주제였다. 세상에 없는 말을 지어놓고 좀 어렵지 않느냐는 말을 들었지만 어려워서 문제가 될 것이 있느냐는 내 질문에 그는 답을 하지 못했다.

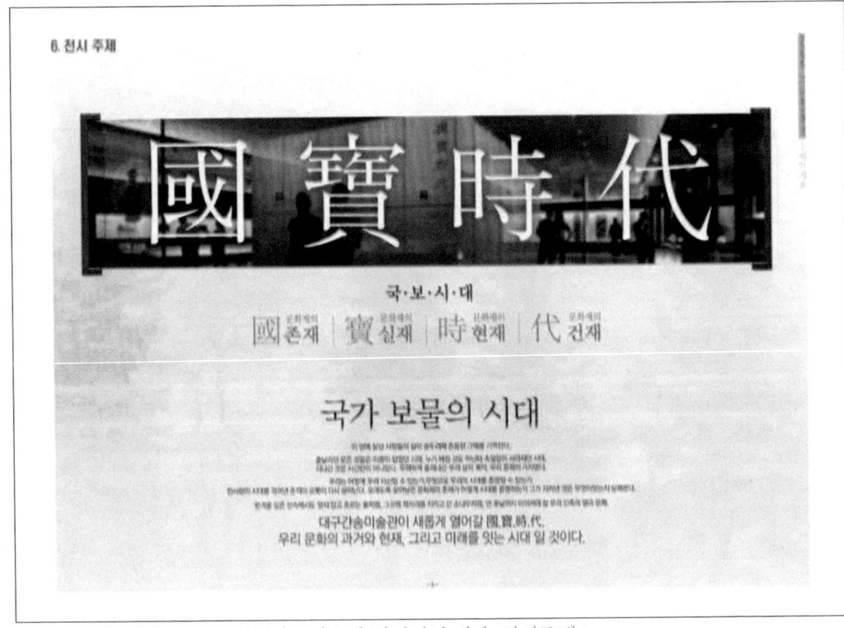


< 대구간송미술관 전시시설 제안_전시주제 >

대구간송미술관은 간송 전형필이 남겨놓은 우리의 문화유산이다. 국보시대國.寶.時.代는 국가 보물의 시대를 의미한다. 보물이 속절없이

사라지던 일제 강점기를 떠올리며 오늘날 우리나라의 문화유산을 소중하게 수호하자는 의미에서 국보시대라는 주제를 제안했다. 대구간송미술관이 새롭게 열어갈 국보시대는 우리 문화의 과거와 현재, 그리고 미래를 잇는 시대 일 것이라는 바람에서였다. 이 때도 역시 <국보시대>는 실장님이 만드신 거죠?라는 질문을 받았다. 사람들이 대부분 고개를 끄덕이며 공감했던 것으로 기억한다. 나는 언젠가 모든 기획자에게 이 질문이 다른 누가 아니라 당신이 만들어서 더 좋고, 더 와닿는 군요의 다른 말이길 기대해 본다.

2. 전시 기본구성 및 계획

CRAFTAS,
CRAFTUS

Craft as..., Craft us...
모든 경험으로서 공예,
공예를 경험한 공동체로서 우리

< 서울공예박물관 제안_전시주제 >

심사위원들만 평가할 수 있는 어려운 주제 말고, 일반 관람객도 브랜드 네이밍처럼 떠올릴 수 있는 용어를 만들어 내고 싶었다. 서울공예박물관이 그런 케이스였다. 공예박물관의 주제는 공예의 정체성을 반영하면서도 박물관이 지향해야 할 방향성을 내포하여야 한다. 건립위치는 외국인 관광객이 많은 북촌과 인사동 투어의 중심지였다. 공예박물관은 문화, 예술, 교육, 산업, 관광을 위한 모든 경험으로서의 as 공예를 만나고 찾아가는 과정으로 보았다. 개개인 각자가 이러한 과정을 거치게 된다면 공예박물관에 모인 집합은 특정 경험을 공유한 공동체로서 우리 us 가 된다.

하여 **모든 경험으로서의 공예를 Craft as 로, 공예를 경험한 공동체로서 우리는 Craft us 로 하고 둘을 합쳐서 'CRAFTAS, CRAFTUS(크레프타스, 크레프터스)'라는 용어를 제안했다.** 공예를 의미하는 CRAFT 가 바로 시각적으로 인지되면서 뒤에 다양한 단어가 더해져 공예의 확장성을 높여가고자 실험적인 전시주제를 표현해 보았다.

처음 들었을 때 어찌 보면 억지스러울 수 있는 단어라 할지라도 기획자를 비롯한 팀원들이 애착을 가지고 협업을 하다 보면 어느새 만든 말이 아닌 원래 있었던 말처럼 느껴지기도 한다. 지어내고, 불러주고, 그려내고, 발표하다 보면 그런 일을 하는 나 자신이 기특해지는 날이 온다.

35

# 현재의 1 등을 찾고 꼭 이긴다

< 기획자의 실무_9 >

**제안서를 쓰는 사람들에게 1 등은 어떤 의미일까.**

1. 업계 매출이 1 등인 업체
2. 업계 사람들이 가장 잘한다고 하는 업체
3. 같은 입찰에 참여해 1 등 한 업체
4. 당선률이 가장 높은 업체

여러 의미가 있겠지만 가장 와닿는 것은 나를 이긴 누군가가 아닐까 싶다. 기획자들에게 당부하고 싶은 말 중의 하나지만, 그런 사람이 있다면 반드시 이겨보아야 한다. 그래야 일등의 근육으로 체질변화가 가능하다. 물론 영원한 1 등은 없다. 거지도 살면서 자기 분야에서 한 번은 1 등을 하기 때문에 과거에 잘 나가지 않았던 사람도 역시 없다. 문제는 지속성이다. 지속성은 단발성 승리를 의미하지 않는다. 봉준호 감독도 매번 아카데미 감독상을 받는 것은 아니다. 하지만 이제 그는 세계 최고의 거장 반열에 올라 앞으로 제작하는 영화라 한다면 아마도 톱클래스 안에서 정도의 차이만 있을 뿐이다.

기획자가 다른 제안서를 보고 가장 속상할 때는 나는 왜 이런 생각을 못했을까 싶을 때이다. 그리고 하필 내가 하지 못한 그 생각으로 누군가 당선까지 되었을 때 기획자는 아무도 모르게 리벤지를 다짐해야 한다. 상대도 최선을 다하겠지만 그를 넘기 위해 더 노력하고 더 힘을 쏟아야 한다. 한번 대결로 아성을 넘지 못할 수도 있을 것이다. 하지만 상대도 거기까지 도착할 때까지 쉽지 않았을 것이므로 조급해할 필요는 없다. 기획자는 좋은 기획안을 내겠다는 기본적인 생각 외에 옵션으로 누구에게도 굴하지 않는 근성과 이번에는 꼭 이기자 하는 승부욕이 있어야 한다. 누군가를 꺾어보겠다는 의미보다는 다른 누구보다 좋은 안, 누구도 부인할 수 없는 뛰어난 안을 만들어 내겠다는 생각 말이다. 1 등만이 목표는 아니지만 1 등의 연구방식, 더 잘한 생각, 더 잘 그린 표현을 참고하고 그보다 잘하려는 노력을 해야 한다. 지속적인 갱신 없이는 발전도 없다.

다른 일에 빠져 잠시 전시 제안공모 시장의 분위기를 잊고 살다가 오랜만에 컴백했을 때가 기억난다. 직원들에게 요즘 제일 잘 나가는 업체가 만든 제안서를 가져오라 하였다. 그리고 최근에 당선된 제안서도 같이 보자 하였다. 마지막, 작업자들끼리 잘 되었다고 평가하는 제안서도 함께. 오케이, 그것들 보다 반드시 잘 쓰고야 말겠어. 아무 문제없어. 나 스스로 만족할 때까지.

때론 열정이 과해 나만큼이 아니거나 나와는 다른 생각을 가진 사람에게 상처를 준 적도 있었다. 나처럼 열심이지 않는 누군가를 대놓고 비난하고, 나만큼 쏟아내지 않았다고 화를 내고, 무시하고, 반목하기도 했다. 조금 느린 친구들은 쉴 새 없이 다그치고, 조금 대충인 친구들은 집요하게 몰아치고, 혼자 느긋한 친구들은 무리하게 강요했다.  이기고자 하는 마음이 너무 강했기 때문이었다.

너무 집요한 승부욕도 문제지만 괜한 시크함 역시 바람직하지 않다. 제발 자신이 작업해서 만든 결과물의 평가에 둔감한 척 하지 마시라. 바빠 살다 보니 결과 따위 찾아보지 않는다고, 이제는 일희일비하지 않는다고 초연한 척 굴지 마시라. 어떤 결과에도 상처받지 않으려고 훈련된 방어기제일뿐이다. 세간의 혹평에 제대로 실망하고, 받아들이기 힘든 낙선에 좌절하고, 다른 누군가의 승리에 죽을 만큼 부러워 본 적이 없다면 당신은 당신보다 더 노력한 자의 영광을 빼앗아 올 자격이 없다.

공모경쟁을 오래 하다 보면, 1 등에는 턱도 없을 것 같은 안도 어쩌다 1 등이 되고, 1 등을 하고도 남을 안이건만 어이없는 꼴등이 되는 순간이 부지기수다. 물론 세상의 인정만이, 좋은 평가만이 당신이 이 일을 해야 할 가치를 부여하는 것은 아니다. 하지만 평가의 결과는 곧 나의 레퍼런스가 될 것임을 잊으면 안 된다.

다음은 치열한 경쟁 끝에 1 등으로 당선된 밀양아리랑 디지털정원 콘텐츠의 스토리라인이다. 이 한 장의 스토리라인을 완성하기 위해 유사한 시설이 자리한 일본 나가사키 이오지마라는 섬에 가보았다. 그 지역만의 전설로도 이야기를 이끌어 내는 것에 확신을 가졌고, 돌아와 디자이너들과 상의한 후 이기기 위한 디자인에 착수했다. 그리고 끝까지 고치고 또 고치고 마침내 승리를 얻었다.

< 밀양아리랑 디지털정원 콘텐츠 개발 제안서_스토리라인 >

될 수 있으면 1 등을 하라.

더 자주 1 등 하는 안을 만들어 내라.

기획자에게 2 등은 없다.

그때 한 것은 기획이 아니고, 기획이 될 뻔 한 무엇일 뿐임을 명심하라.

36

# 아니라 생각하면 과감히 접는다

< 기획자의 실무_10 >

기획자가 가장 경계해야 할 자세 중 하나가 자신의 생각을 고집하는 것이다. 기획자는 괜한 자존심 싸움으로 일을 그르치게 되는 경우가 종종 있다. 그만큼 많이 공부했기 때문에 누군가 반대 의견을 제시할 때 내 생각이 맞다는 확신으로 방어적인 자세를 취하게 된다. 실제로 대부분 맞는 편이긴 하다. 그러나 완벽한 사람은 없기 때문에 전략을 잘못짚었을 수도 있다. 몰랐다면 할 수 없지만, 알게 된 이상 그 사실을 고집하진 말아야 한다.

기획자가 굳은 신념으로 누구의 말도 듣지 않고 독불장군처럼 일을 진행하게 되면 결국 팀원들에게 부담을 주게 된다. 그리고 프로젝트가 실패했을 경우 서로 부족했음을 반성하기보다 남 탓을 하게 되는 풍조에 물씬 기여하게 된다.

**기획자가 중간에 자신의 궤도를 수정해야 하는 경우는 다음과 같다.**

중요한 자문을 통해 결정적인 승리의 실마리를 얻었는데 그것이 현재 진행하고 있는 방향과 다를 때이다. 자문은 보통 구성안이 나온 다음 후반부에 진행하기 때문에, 자문으로 인해 무언가를 수정해야 할 때 팀원들은 엄청난 스트레스를 받게 된다. 전시기획에서는 주제가 바뀌면 하부 스토리는 물론 공간개념 및 세부연출이 통째로 흔들린다. 대부분 공동작업의 특성과 시간문제로 큰 틀을 바꾸지 않고 덧칠하는 식으로 수정 보완을 하게 된다. 그렇게 되면 앞에서 실컷 주장한 전략들이 뒤에 보이지 않게 되어 공허한 말장난이 되기 쉽다. 구현도 하지 못할 것이면서 근사하게 만들어 놓은 말들이 아까워 붙잡고 있는 미련을 떨지 말아야 한다. 아무리 멋지고 예뻐도 안 맞는 것들은 과감하게 포기하고, 지금 있는 그대로의 모습을 가장 정확하고 사실적으로 강조하는데 중점을 두어야 한다.

발주처에 해당하는 곳에서 특정 단어에 대한 취향이나 선호도 때문에 중요한 키워드를 반대하거나 주장할 때이다. 어떤 발주처 대표는 사자성어를 선호하고 어떤 대표는 영어를 싫어하고, 어떤 대표는 조어와 합성어를 싫어한다고 하자. 아주 보수적인 심사위원에 따라 기획자가 임의대로 합성해서 만든 신조어 류의 개념은 폄하하기를 넘어 혐오하는 사람도 있다. 그들은 그들 나름대로의 경험상 특별한 이유가 있을 것이다. 이럴 때 굳이 내가 옳다고 그들의 선호도를 바꾸려 한다거나 가르치려 하는 자세는 금물이다. 유연한 기획자는 그럼에도 불구하고 주어진 조건 안에서 그들 마음을 움직일 수 있는 주제어를 다시 한번 제시할 줄 알아야 한다.

특별히 좋은 아이디어는 반드시 단점이 존재한다. 그런데 이 단점이 누군가 물고 늘어져 위험요인으로 부각될 가능성이 있다면 신중해야 한다. 기술적, 행정적, 운영상의 문제에 대한 모든 솔루션을 완벽하게 준비해 놓고 제안해야 한다. 공모경쟁에서는 눈에 띄는 확실한 아이디어를 마련하기 위해 무리하게 연출을 하거나 검증되지 않은 기술을 과장되게 표현할 때가 많다. 그러나 예리한 심사위원은 기술적 허점을 지적할 수 있고, 그것을 설득하느라 에너지를 낭비하게 되면 결국 좋은 아이디어가 아닌 것이 된다. 기획자는 이 상황까지 충분히 내다보고 계획이 그림으로서만 의미 있는 연출일 경우, 과감하게 접을 용기가 필요하다.

다음은 무리한 연출로 심사위원의 기술적인 지적을 받고도 그 효과만 강하게 설득하려다가 실패한 프로젝트의 사례이다. 이 프로젝트 말고도 다른 일이 겹치면서 시간적으로 몰리자 급하게 아이디어를 만들어 내다가 무리수를 두게 된 것이 원인이었다.

< 래추고 자성대 도시재생 뉴딜사업 거점기반시설 조성사업 제안 1_상징조형물 >

공원의 활성화를 위해 인위적인 구조물과 브리지를 조성하였는데 공원 내 문화재인 부산진성의 이미지를 부각하기보다 외려 축소하는 결과를 가져왔다. 공원과 산책을 연결한다는 의미에서 의도는 좋았으나 필수적인 미션에 해당하지도 않았는데 너무 과하게 연출되었다. 한술 더 떠 아래 투시도를 보면 브리지가 공원 외부 건물과 부자연스럽게 이어져 있다. 공원 외부의 재봉틀 체험공방으로 바로 동선을 만들자는 취지였지만 심사위원들은 거리 미관과 기술적인 문제, 필요성, 예산 부분을 집요하게 질문하며 공원 내 다른 구역의 연출을 보여줄 시간을 허락하지 않았다.

< 래추고 자성대 도시재생 뉴딜사업 거점기반시설 조성사업 제안 2 특화거리 조성 >

기획자가 이전에 잡은 안을 포기하지 못하는 이유는, 그 안이 좋거나 그 안이 꼭 정답이어서가 아니다. 다시 씨줄 날줄을 엮어 같은 과정을 통해 머리 아프게 다른 이야기를 만들어 낼 자신이 없기 때문이다. 그러므로 어떤 안을 과감히 접을 용기는, 결국 그것 말고 또 다른 안을 만들어 낼 수 있는 능력을 의미한다. 이 능력은 불행히도 프로젝트당 한 번의 기획으로만 일사천리로 일을 진행해 온 기획자들에게는 절대 생겨나지 않는다. 가끔 타성에 젖어 한번 휘리릭 작성한 원고 그대로 수정도 없이 일을 진행하려고 하는 기획자들을 볼 때가 있다. 그런 완벽한 생각이 세상에 어디 있을까.

생각지도 못한 어떤 변수에 의해 안이 엎어지고, 그림이 달라지고, 다시 하고, 두 번 세 번 하는 과정을 통해 기획의 맷집이 강해지는 것이다. 어떤 프로젝트건, 시간이 얼마나 남았건, 누구와 작업하건, 자판기처럼 솔루션이 척척 나오는 기획자가 되려면 아무렇지도 않게 지금 하고 있는 이야기를 모조리 당장 쓰레기통에 버릴 수 있어야 한다. 그 이유가 무엇이건 간에 말이다.

37

# 알려진 이론을 전략에 이용한다

< 기획자의 실력_1 >

한 번의 제안서 작업에 석 박사 학위 논문까지는 아니더라도 최신의 학회 및 학술지 논문을 최소 이십 개 이상 검색하여 도움이 될 만한 이론적 배경이나 연구 결과를 찾아내어야 한다. 논문을 그대로 인용하라는 뜻이 아니다. 그 연구자가 선행으로 연구한 방법에서 이론적 준거나 기술, 참고한 서적들을 알아보라는 의미이다.

### 1) 공간적 약호로 활용된 스테가노그래피(Steganography)

예를 들어 메타버스 관련  IT 학술지 논문에서 스테가노그래피(Steganography)라는  연구를 예로 들었다고 하자. 스테가노그래피는 그리스어로 stegano (감추어져 있다)와 graphos (쓰다, 그리다)가 결합된 단어인데 현대에서는 디지털 파일의 저작권 보호 용도로 쓰여지는 디지털 워터마크(Digital Watermark)등을 예로 들 수 있겠다.

'스테가노그래피(Steganography)'는 숨기기의 예술이자 과학이라 할 수 있으므로 이 고전적 기술을 전시에 응용할 방법을 찾는 것이다. 원하는 전시공간에 스테가노그래피를 활용한 공간적 약호(Spatial codes)를 심어놓고 감춰진 글이나 비밀 메시지를 준다고 가정해 보자. 전시공간에 실제로 가져올 수 없는 콘텐츠가 얼마나 많은가.

다음의 지리산역사문화관에서는 보이는 지리산이 아닌 보이지 않는 지리산, 볼 수 없는 지리산에서 파생되어 발생한 것들을 보이는 비밀로 포장하고자 하였다. 새로운 사실은 아니지만 마치 새로운 신비를 알아나가듯 관람의 만족을 더하는 기법으로 적용하였다. 스테가노그래피처럼 아주 오래전부터 사용된 학문적 용어이면서 누구나 다 알지는 못하는 기술을 우리가 제안해야 할 주제와 공간 속에서 적용시킬 경우 연구자의 전문성이 느껴진다. 여기서 우리는 1 차적으로 스테가노그래피라는 용어가 있다는 것을 알아야 그다음 검색을 통해 다양한 활용방법도 찾을 수 있는 것. 이처럼 내가 알지 못했지만 파생력이 큰 힌트 하나를 찾아 그것을 실마리 삼고 일을 진행해 나가다 보면 하는 사람도 재미있고, 듣는 사람도 새롭다.

< 지리산역사문화관 제안_차별화전략 >

### 2) 뮤지오그라피아(Museographia) 기법을 도입한 주제별 스토리텔링

이번에는 뮤지오그라피아이다. 알려졌듯이 뮤지올로지(Museology)가 기존의 박물관학이라면 뮤지오그라피(Museographia)는 박물관 기술론에 방법론을 더한 것이다. 사료전시관은 대개 기승전결 하나의 이야기를 일대기, 연표, 사건위주로 전개하는 연대기적 표현방법을 사용한다. 하지만 점점 유물의 역사적, 미적, 물리적, 정신적인 가치를 파악하고 당시 배경과 환경을 분석한 후 가장 적합한 전시환경을 조성하도록 연대기적 전시기법을 탈피하는 추세이다.

박정희대통령역사자료관에서는 대통령의 수많은 유품을 연대기적 전시로 연출하지 않고 독립적인 이야기로 구분해 전시하고자 하였다. 연대기가 아닐 경우에는 주제, 연출, 스토리가 더욱 체계적이어야 관람객이 자연스럽게 받아들인다. 왜 이런 이야기는 없지, 하며 의문을 가지기 쉽기 때문이다. 대통령의 이야기는 테마별로 나누면 문제 될 것이 없으나, 그렇게 해야 더 효과적이라는 분명한 논리와 이론이 필요했다. 하여 뮤지오그라피적 전시의 전제조건인 공간성, 역사적 가치, 자료의 성격, 상황의 재현성을 분석하고 주제별 독립적인 이야기를 옴니버스식으로 구성해 보았다. 주제는 대통령의 일대기를 분석하여 사람, 성과, 시기, 정서, 국민으로 나누고 유품의 분류 기준을 재설정하였다. 박정희대통령역사자료관은 일반적인 박물관이 아니라 재임기간 동안의 소품과 기념품, 유품을 총 망라하여 그것에 생명을 불어넣는 것이 중요했다.

물론 뮤지오그라피아 기법을 도입하지 않고 몇 가지 테마를 임의로 정한다 한들 문제 될 것은 없다. 하지만 비슷하면서도 정리 안 된 유품들을 뮤지오그라피아 기법을 적용했더니 더욱 우리가 제시하는 틀 안에서 스토리텔링하기 효과적이었다. 이 결과물에 누구도 이견을 제시하는 사람은 없었다.

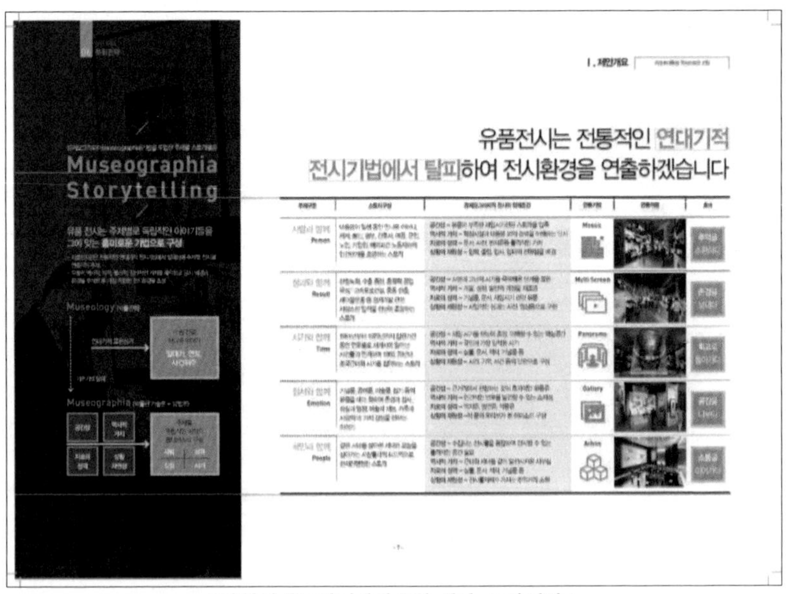


< 박정희대통령역사자료관 제안_특화전략 >

### 3) 시뇨그래피로 연출된 극장식 무대연출

시뇨그래피(scenography)는 무대미술의 개념이다. 연극의 공간과 무대구성에 관한 기술을 말한다. 시뇨그래피를 통해 연출된 장면은 영화에서 미장센과 동일한 의미이다. 전시에서 시뇨그래피를 적용할 때 시간과 공간, 극적인 행동이 시각적으로 표현되며 관람객은 한정된 공간에서 마치 영화의 한 장면을 보는 것처럼 특별한 기억을 저장할 수 있다. 디오라마는 배경이 되는 풍경과 축소모형으로 특정한 상황을 연출, 구성하는 대표적인 전통적 전시매체이다.

서대문자연사박물관은 리노베이션 하면서 하이라이트가 되는 킬링전시 제안이 필요했다. 전통적으로 아이들에게 가장 인기 있는 공룡 전시물이 그 대상이었다. 여기서 떠올린 영화는 다름 아닌 쥐라기파크였다. 공룡은 공룡끼리만 있을 때보다 사람이 함께 하면 이야기가 풍부해진다.

이에 공룡을 주인공으로 보고, 고고학자를 조연으로 하여 마치 극적인 발굴의 현장인 듯 극장식 무대를 연출하고 당시 배경을 연상하며 상상할 수 있는 디오라마(Diorama)를 복합 구성해 보았다. 우리는 시뇨그래피의 특성과 디오라마의 소통방식을 융합해 이를 시뇨라마 스테이지(scenorama stage)로 제안하였다. 리노베이션 하면서 가장 큰 미션에 해당하는 하이라이트 공간에 드라마틱한 킬링 전시를 연출하고자 빌려온 이론이었다.

< 서대문자연사박물관 리노베이션 제안_차별화전략 >

스테가노그래피, 뮤지오그라피아, 시뇨그래피 모두 전시와 인접한 학문에서 오래 언급되던 용어들이다. 우연의 일치지만 어미로 붙은 그래피, 그라피아는 시각적인 표현을 의미한다. 박물관은 상업적 흥행전시 및 비상설 전시와는 다르게 교육적 목적이 우선시 된다. 전시연출 방법 또한 무조건 최첨단 매체만을 활용하지 않고, 유물을 비롯한 전시물 및 전시콘텐츠의 특성에 따라 체계적인 전달이 고려되어야 한다.

전시는 종합예술이지만 산업군의 특성상 인접학문과 경계를 두지 말고 융합적인 연구가 필요한 장르이다. 이미 알려진 이론이지만 우리 공간에 가져와 전략이든 연출이든 적절하게 응용할 수 있는 기획자가 이 시대를 이끌어나가는 하이브리드 실력자 일 것이다.

38

# 추상적인 개념을 3 차원 공간에 가져온다

< 기획자의 실력_2 >

우리가 주제나 테마라고 적고 떠드는 단어들은 대부분 3 차원 공간으로 바로 가져오기 어렵다. 개념은 텍스트이고 공간은 비주얼이기 때문이다. 예를 들어 연대나 공존, 협동과 같은 개념이나 가치를 전시공간에서 전달해야 한다면 어떻게 접근해야 할까.

**1) 근대혁명의 DNA 를 나선형 구조의 공간개념으로**

인위적으로 주어진 제한된 공간에 특정한 개념을 구체화한다는 것은 어려운 일이다. 공간개념이라는 말자체가 애매한 데다가, 눈에 보이지 않는 개념을 시각화하는 과정은 계획단계에서만 진행되는 일이기 때문에 말로만 떠들게 되거나 끝까지 살아남지 못하고 흐지부지되기 쉽다.

**하지만 계획된 개념은 반드시 공간에서 실현되어야 한다.**

쉽지 않지만 시각화했을 때, 제안서에서는 특별하게 차별화할 수 있는 장표가 되기도 한다. 왜 이 공간을 네모로 하지 않고 타원형으로 했는지, 왜 굳이 가운데를 뚫었는지 그것의 확실한 논리가 되기 때문이다.

국립대한민국임시정부기념관은 전체 4 개 층으로 이루어진 직사각형의 건축물이었다. 1 층에서 바로 4 층까지 올라가 순차적으로 내려오면서 관람하는 역동선 방식으로 제안하였다. 관람하는데 이탈 없이 하고자 하는 이야기를 빠짐없이 전달하고자 하였다. 하지만 우리가 알고 있는 역사를 3 개 층이나 같은 방식의 반복된 구조로 빠져나오려니 지켜보기에 지루하기 짝이 없었다. 콘텐츠에 있어서도 층마다 자주독립, 민주공화,

사회통합, 평화연대라는 다소 무거운 소주제가 펼쳐져야 했다. 쉬우면서도 하나의 구심점이 될 수 있는 개념이 필요했다. 바로 우리 민족의 능동적이고 주체적인 시민정신, 즉 근대혁명의 DNA 를 가진 국민이 공통분모라는 생각이 들었다. 그리하여 4 개 층의 공간 구조에 DNA 의 구심점을 축으로 하여 내려가면서 점점 DNA 의 윤곽이 분명 해지는 구조를 마련하였다.

우리 민족의 DNA 라는 개념과 형태적으로 떠오르는 나선형 구조를 입체적으로 살려 3 차원 공간에 녹여내었더니 누구나 이해하기 쉬운 공간개념으로 탄생되었다. 나선형 구조는 실제 현장 어디에서도 눈에 보이지 않겠지만 공간구성은 그것을 기준으로 구획을 하고 중심을 잡기로 했다. 사람들의 발걸음이 더해질 때마다 우리 국민의 혁명적 DNA 가 비로소 더 강해지고 넓어 지기를 기대하면서 말이다.

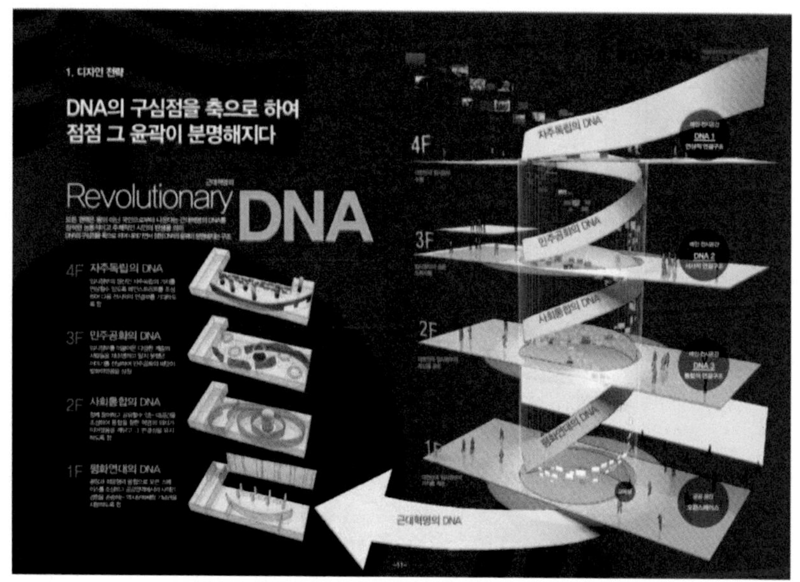

<국립대한민국임시정부기념관 제안_공간개념>

## 2) 지상에서 하늘까지 물, 자연, 사람이 함께 가는 길로

애초에 공간개념을 따로 적용하기가 까다로운 건축물들이 있다. 비정형의 건축물이거나, 전시공간이 조각조각 나뉘어 있거나, 이미 건축물 자체에서 확실한 개념이 부여되어 랜드마크로 인식될 경우 등이다. 또 요즘은 실감영상 같은 미디어 연출로 전시공간의 형태가 아예 보이지 않는 경우도 많다. 예전처럼 실내공간의 구조가 가지는 미학적인 형태, 심미적인 아름다움, 기하학적인 매력, 시각적인 자극은 꼭 필수적인 요소가 아니게 되었다. 시각적 즐거움을 위한 인테리어 구조물이나 장식을 위한 디자인이 많이 단순화되기도 했다. 리노베이션 주기가 짧아진 영향도 있고 메타버스 같은 가상환경의 일상화도 고정적인 전시환경에 새로운 패러다임을 제공하고 있다. 하지만 기획자는 공간개념이 점차 의미 없어진다고 하여 공간개념을 잡지 않아서는 안 된다. 이제는 눈으로 보이는 형태에서 차용한 공간개념이 아니라 우리가 상상할 수 있다면 무엇이든 개념화하고 그것을 구체화하여 표현하려 노력해야 한다.

시화조력문화관은 리노베이션 프로젝트였는데, 거대한 건축물에 비해 전시공간은 협소하고 층마다 각각 떨어져 있는 경우였다. 2 층의 상설전시뿐 아니라 1 층의 로비, 원형극장, 다목적 강당, 어린이 공간을 비롯해 3 층의 창업 및 전망공간까지 복합문화 플랫폼으로 조성하는 것이 주된 과업이었다. 계단을 기준으로 분절된 기능 공간마다 다른 형태를 하고 있어 하나의 구심점을 찾기가 난감했다. 해결방법은 각각의 공간을 인위적으로 연결해 하나의 시나리오를 부여하는 것이었다.

우선 물 너머 물과 함께 흘러가는 공간적 연결을 위해 'Connected Waterway 연결된 물길'을 조성하고 층마다 인공적으로 연출된 다양한 공간 구조에서 때로는 정원을, 동굴을, 도시를 거닐며 전시 체험을 하도록 'Companion Space 동반의 환경'을 마련하는 것이다. 로비는 정원의 개념이고, 원형극장은 동굴이고, 전시공간은 빙하와 도시, 전이공간은 구름, 전망 공간 하늘이 되어 물의 순환이 연상되도록 하였다. 결과적으로 외부에서부터 가족형 해안공원의 루트를 따라 내부로 들어오면 물의 순환 길이 이어지고, 3 개 층을 이동하면서 그 흐름에 따라 공간을 이동하도록 계획하였다. 공간구성 개념은 최종적으로 물, 자연, 사람이 함께 가는 길로 제안하였다. 이 장표를 보고 설명을 들은 다수의 사람들은 고개를 끄덕이며 해당 공간을 떠올렸다. 어렵거나 언뜻 그림이 그려지지 않는 개념일지라도 이렇듯 3 차원으로 치환해 연상하면서 이야기가 이해되면 성공이다. 전시관 어느 곳에도 그런 길은 보이지 않겠지만 그 보이지 않는 길을 따라 사람들은 자연스럽게 우리가 의도한 공간을 이동할 것이고, 함께 가는 길을 느낄 것이니까 말이다.

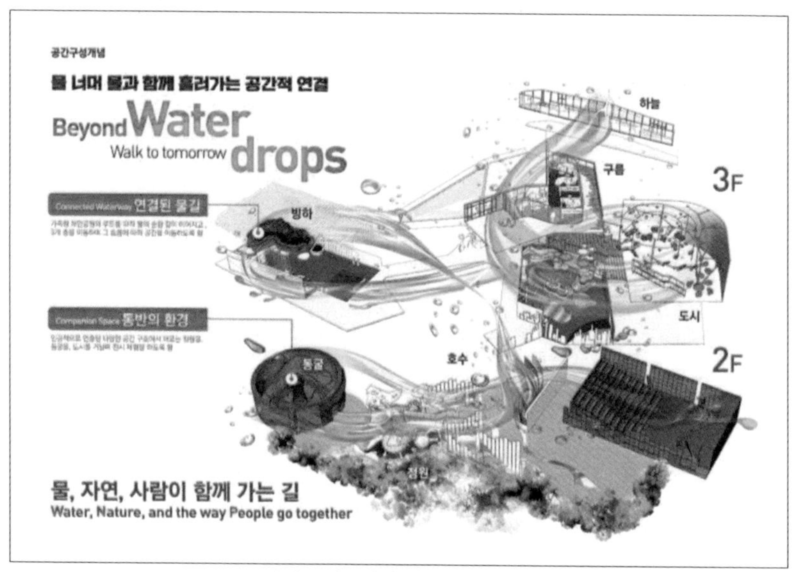

< 시화조력문화관 제안_공간개념 >